COMPRENDRE LA PEINTURE

ÉLISABETH LIÈVRE-CROSSON

Sommaire

Le langage de la peinture

L'histoire de la peinture

Lecture de tableaux choisis

Approfondir

Les mots suivis d'un astérisque (*) sont expliqués dans le glossaire.

*« Il est impossible de parler de peinture.
On peut seulement parler autour d'elle. »*
Francis Bacon.

Frans Hals, *La Bohémienne,* **musée du Louvre.**

Autour de la peinture

L a peinture est un langage muet qui s'adresse à l'œil et sollicite notre émotion. En donnant à voir, elle donne à sentir, à ressentir. La fascination qu'elle exerce sur l'imagination est un mystère et l'effet produit n'est pas le même pour tous. Il y a les tableaux qui « parlent » spontanément et ceux qui restent silencieux. Tout dépend des formes adoptées par le peintre, de notre aptitude à déchiffrer son langage. Car si l'interprétation est libre, un tableau se décrypte.

Comme tous les langages, la peinture a ses mots, sa grammaire, ses règles. Elle obéit à des lois qui lui sont propres et qu'il nous faut connaître. De Giotto à Picasso, elle n'a cessé d'enrichir son vocabulaire pour raconter des histoires ou traiter des apparences, pour imiter ou transgresser la réalité. Mais si ses formes varient au cours des siècles, son propos reste inchangé. Il consiste depuis toujours à figurer le monde, à exprimer des idées et des sentiments universels à partir de formes et de couleurs réparties sur une surface plane.

« Comprendre la peinture » n'est pas l'expliquer. Il s'agit seulement de se familiariser avec ses multiples approches afin de parvenir, comme le peintre, à penser en peinture.

Avertissement
Afin de situer les artistes et les styles mentionnés, il est conseillé de se reporter à la rétrospective historique (*voir* pp. 54-55).

La grammaire

Pour représenter ou suggérer le monde visible ou imaginaire, le peintre réfléchit en termes d'espace, de forme et de couleur.

Espace
« *L'espace est le lieu de la peinture.*
Elle y prend place et le traite selon ses besoins.
Elle le définit et même elle le crée tel qu'il lui est nécessaire. »
Henri Focillon.

Métaphore de la fenêtre
« *Je trace un rectangle de la taille qui me plaît et j'imagine que c'est une fenêtre ouverte par laquelle je regarde tout ce qui y sera représenté.* »
Léon-Battista Alberti (1404-1472).

L'espace

Parler de peinture, c'est parler d'espace. Le premier défi du peintre consiste à remplir un espace vide, celui du mur ou de la toile vierge. Sur cette surface plane, il entreprend de figurer le monde, ce milieu à trois dimensions où l'homme vit et se déplace. En Occident, le tableau longtemps conçu comme une « *fenêtre ouverte sur le monde* » s'applique surtout à l'imiter en restituant de façon vraisemblable la profondeur de l'espace visuel. Depuis le XVe siècle, grâce aux codes de la perspective, du trompe-l'œil, de la couleur, l'artiste recrée un monde qui donne l'apparence de la réalité visible.

Au XIXe siècle, tout est remis en question : Manet refuse de figurer la profondeur (*voir* pp. 46-47) et avec l'impressionnisme, le réel se brouille. Le monde n'est pas statique, ni seulement réduit à ses composantes visuelles. Ce que l'on voit se déplace (l'espace-temps) et ce que l'on ne voit pas existe aussi (l'espace vécu). L'espace échappe, donc, à toute géométrie. Il s'ouvre, se libère, et finalement éclate avec le cubisme (1907) qui remet tout à plat pour rendre compte de la multiplicité, de la complexité de nos perceptions spatiales.

La forme

Le peintre est un plasticien et, comme tel, il conçoit et représente des formes. Son langage, c'est la forme*, cette apparence extérieure qui donne à un objet ou à un être sa spécificité. Partant du constat que tout est forme dans la nature comme dans la vie quotidienne, le peintre hérite d'un répertoire inépuisable. Il l'assimile comme un vocabulaire et l'enrichit à son tour. Son intention n'est pas de produire un objet artisanal utile, mais de figurer sa vision du monde. Le langage formel est universel et son interprétation est libre. Au spectateur, donc, de le lire. Chaque forme a sa signification et peut signifier autre

Forme
« *Tout est forme, et la vie même est une forme.* »
Honoré de Balzac.

langage   histoire

chose qu'elle-même. Ainsi un nuage n'annonce pas seulement la pluie, il peut réveiller un souvenir, suggérer d'autres objets, fasciner par sa beauté admirable ou terrifiante. Statique dans un tableau, la forme est pourtant dynamique dans l'esprit de celui qui la crée, dans la contemplation de celui qui la regarde, dans l'enchaînement historique qui fait se succéder les formes.

Ingres,
La Grande Odalisque (1814), musée du Louvre.
« *Un artiste pense et sent directement avec les formes, comme d'autres avec les mots.* » René Huyghe.

La couleur

À l'inverse de l'architecture et de la sculpture, la couleur* est spécifique de la peinture. Elle met en valeur la forme, la « farde », selon Poussin (XVIIᵉ siècle), qui précise: « *Les couleurs dans la peinture sont comme des leurres qui persuadent les yeux, comme la beauté des vers dans la poésie.* » Mais, la couleur peut aussi contribuer à construire la forme : « *Quand la couleur est à sa richesse, la forme est à sa plénitude* », observe Cézanne (fin XIXᵉ siècle). Les adeptes de l'art classique traditionnel (Raphaël, Poussin, David) enferment la couleur dans le trait qui la délimite. Les contemporains de Cézanne (Gauguin, Van Gogh) donnent à la couleur son indépendance, son autonomie. Les pouvoirs de la couleur tiennent à ses nombreuses qualités : spatiale, lumineuse, symbolique, métaphorique, psychologique. Chaude ou froide, réaliste ou arbitraire, neutre ou expressive, la couleur achève de donner vie à la forme et le ton au tableau : elle est le véhicule de l'émotion.

Quel que soit son sujet, le peintre aboutit à une composition* où dialoguent l'espace, la forme et la couleur.

Le support

La surface du support est le cadre d'exercice du peintre. Premier défi, s'adapter au format et préparer le terrain !

Le cadre

À l'époque préhistorique, la surface à peindre n'a de limite que celle imposée par l'espace de la grotte. L'idée d'un champ spatial limité trouve sans doute son origine dans d'anciennes pratiques religieuses, lorsque le prêtre étudiait, en le délimitant, un morceau de ciel avec un bâton ou traçait dans le sable un écran pour lire les augures... Ce cadre (carré ou rectangulaire) était donc le lieu où se lisait la parole des dieux. Il a donné sa forme au tableau*, à l'image photographique, à l'écran de cinéma ou de télévision ! En isolant visuellement l'image, le cadre répond à un besoin universel de clarté. Dessiné d'une simple ligne fermée (peintures murales antiques et médiévales) ou matérialisé par le format* d'un support architectural ou mobilier, il impose ses limites au peintre et donne sa dimension physique à l'œuvre.

Support/Surface*

La peinture n'a d'abord eu d'autre destination que d'épouser l'architecture qu'elle décore. Au lieu de travailler sur une surface plane de forme simple, le peintre

Préhistoire
C'est le support qui conditionne le travail.
Ici, la tête du cheval de profil épouse la forme naturelle de la paroi.
Fresque de la grotte de Pech-Merle.

langage   histoire

a dû composer avec des murs immenses, des voûtes, des coupoles, des plafonds... Il relève ce défi, soit en respectant les limites imposées par le compartimentage de l'édifice, soit en aménageant son propre espace à l'intérieur d'une forme (division d'une voûte en registres réguliers), soit encore en outrepassant les limites fixées. Cet art du « hors cadre », dit « de la *quadratura* » (XVIIᵉ et XVIIIᵉ siècles), prolonge l'espace initial de percées, d'éléments d'architecture ou de paysage fictifs. Avec le tableau*, la peinture se détache du monument. Elle prend place sur les volets mobiles des retables*, les tableaux de chevalet (de dimension réduite) ou les grands tableaux décoratifs. Panneau de bois ou châssis tendu de toile, le tableau indépendant, ou parfois intégré à un décor d'architecture, est souvent souligné d'un cadre qui évoque l'encadrement d'une fenêtre afin d'attirer et de concentrer encore l'attention. Monumental, petit ou de taille humaine, le format du support s'accorde au contenu du sujet peint (grandiose, intimiste ou naturel), et impose sa distance de lecture (lointaine ou rapprochée).

Terrain
« La peinture est non seulement support et surface d'inscription, elle est aussi terrain. » **Jean Clay.**

L'art est un combat
« L'art gagne à être considéré comme un travail, avec des procédures, des ruses, des conflits, des audaces, des batailles à n'en plus finir. » **André Chastel.**

⌐Le terrain

L'homme du Paléolithique ne pensait pas la surface comme un fond. Il juxtaposait ses figures sur des images réalisées antérieurement et utilisait les irrégularités de la roche pour créer des formes*. Le champ lisse préparé d'un fond uniforme est une invention humaine plus tardive. Rigide (mur, panneau) ou souple (papier, toile), un support n'est rien sans son enduit qui sert de base à la couche picturale et assure son adhésion. Les préparations diffèrent selon les époques et les écoles de peinture. Pour faire surgir les formes qu'il a en tête, le peintre travaille, « cuisine » toutes les textures (support, enduit, matière picturale). Il interroge le grain du papier et son pouvoir d'absorption, l'effet miroitant du bois poli, le tissage fin ou grossier de la toile qui accroche la couleur et suggère des épaisseurs. Autant d'aspects, d'effets révélés par « le terrain » que le peintre explore, provoque, façonne en pensant à l'esthétique* finale de l'œuvre.

La réalité physique du tableau, son format et la nature du support conditionnent le travail du peintre.

La composition

L'œuvre est le fait d'un artiste qui se représente mentalement un tableau et agence des moyens pour atteindre son idée.

Découper pour construire

Avant de disposer ses formes, le peintre doit mettre en place la charpente du tableau, en tracer les grandes lignes. Cette armature géométrique est le schéma de composition de base. Elle reflète de façon symbolique la conception du monde d'une époque. Le Moyen Âge religieux affectionne le triangle qui évoque la voûte d'ogives de la cathédrale et symbolise l'élévation vers Dieu. En règle générale le sommet du triangle attire l'œil : le peintre y place l'élément le plus important et de chaque côté de l'axe vertical et central, il répartit les figures symétriquement (tel Cimabue). À la Renaissance, l'homme « domine » le monde. Grâce à la perspective linéaire (*voir* pp. 18-19), il peut le reproduire de façon « vraisemblable » et conçoit de le reconstruire selon un schéma pyramidal, symbole idéal d'équilibre. Ce modèle classique s'imposera comme la norme. En quête de vitalité, l'art baroque (XVIIᵉ siècle) lui oppose l'élan dynamique des grandes diagonales et des compositions en spirale. Puis, l'art néo-classique (fin XVIIIᵉ siècle) fait un retour à l'ordre : symétrie, composition orthogonale sont au goût du jour (*voir* pp. 42-43). Pour les romantiques (début XIXᵉ siècle) le monde est un théâtre où s'expriment les émotions individuelles et la diagonale suggère

Cimabue,
Vierge en majesté
(vers 1270),
musée du Louvre.

Composition
« moderne »
« *Auparavant (...)*
un tableau était
une somme
d'additions.
Chez moi,
un tableau est
une somme
de destructions. »
Pablo Picasso.

langage   histoire

l'élan des passions (*voir* pp. 44-45). Enfin, les peintres d'avant-garde rejettent tous les systèmes en vigueur et construisent comme on ajuste ou comme on assemble dans le monde industriel.

Composer

L'image dans le miroir et l'image photographique ne sont qu'un fragment détaché artificiellement d'un ensemble plus grand, alors que le tableau veut recréer un monde en soi. Pour restituer cette idée, le peintre doit composer son tableau. Il dispose les différents éléments (détails ou parties) qu'il veut figurer de façon à ce qu'ils s'effacent au profit de l'ensemble. L'artiste cherche la synthèse, l'unité. Ce montage obéit à des lois. La règle classique éprise de clarté procède par addition des figures, ménage des intervalles entre elles, les détache sur le fond tandis que la lumière unifie l'ensemble. Pour Delacroix qui revendique une part d'improvisation, plutôt que d'additionner les parties sur la toile à la façon d'une phrase, il convient de les « *brasser en un tout organique qui annule leurs traits distinctifs* ». Dans les deux cas, le peintre compose son tableau de manière à ce que les parties forment un tout ensemble, comme le musicien compose pour créer une harmonie.

Lire

Si la peinture camoufle la charpente initiale du tableau, ses lignes de force orientent notre regard, lui imposent un parcours. Les retracer mentalement s'avère donc essentiel. L'œil qui chemine sur la surface de la toile perçoit l'équilibre et l'opposition des grandes lignes qui la structurent, lui donnent son rythme. Il interroge la construction et le dispositif qui met en évidence les relations entre les parties, ce que Baudelaire appelle « *des correspondances* ». Si « *le plaisir naît de la perception des rapports* » (selon Diderot), il réside dans l'adéquation entre le contenu (l'idée) et la forme (composition) qui donne sa cohérence interne au tableau.

Détail
« *En appelant le regard à se poser successivement en divers endroits du tableau, le détail rythme le parcours de ce regard qui "suit les chemins ménagés dans l'œuvre" (Klee) ou "la ligne de liaison qui promène l'œil" (Diderot).* »
Daniel Arasse.

Composition « romantique »
« *Imaginer une composition, c'est combiner les éléments qu'on connaît, qu'on a vus, avec d'autres qui tiennent à l'intérieur même, à l'âme de l'artiste.* »
Eugène Delacroix.

Il n'y a pas d'expression esthétique sans le truchement d'un code.

La facture

La facture renvoie au savoir-faire technique et à l'exécution personnelle de chaque peintre. Il arrive que la facture devienne le sujet de la peinture.

Le rôle du corps
« *C'est en prêtant son corps au monde que le peintre change le monde en peinture.* »
Maurice Merleau-Ponty.

Les règles du jeu

Pinceaux à poils doux, brosses à poils durs, couteaux ou spatules, éponges ou racloirs constituent l'essentiel des outils traditionnels du peintre. Il fait son choix en fonction du support à couvrir, chaque support nécessitant l'usage d'une technique adaptée (peinture à l'eau ou à l'huile). Le jeu consiste à étendre sur un enduit (intermédiaire entre le support et la couche picturale), des pigments de couleur finement broyés enrobés dans un liquide (le liant ou le médium), grâce à un liquide plus fluide (le diluant). Fresque, aquarelle, gouache, détrempe*, peintures vinyliques et acryliques sont des techniques où l'eau sert de diluant. Seul le liant varie (exemple, la tempera est une facture à la détrempe où l'œuf sert de liant). La peinture à l'huile est un médium dilué à l'essence volatile. Le matériau choisi (ou subi) joue un rôle essentiel dans le temps d'exécution. Avec les techniques dites « sans repentir* » (aquarelle, tempera, fresque) il faut agir vite car ces peintures sèchent aussitôt et n'admettent aucune reprise. Chaque matière apporte ses effets propres et constitue un moyen d'expression spécifique. Opter pour la transparence de l'aquarelle, la matité de la gouache, l'éclat de la tempera, la profondeur de l'huile ou la pureté de l'acrylique n'est pas indifférent.

La vision du peintre
« *N'oublions jamais qu'un peintre ne peint pas ce qu'il voit ; il peint ce qu'il a décidé de voir avec les moyens qu'il a choisi d'adopter.* »
André Chastel.

La façon de jouer

L'acte de peindre ne saurait se réduire à la maîtrise d'une technique. Ainsi la facture d'un artiste tel que Rembrandt ne se limite pas au simple maniement de couleurs broyées à l'huile, elle révèle son expression (le clair-obscur*) et son talent personnel. Chaque peintre a sa propre facture, son écriture picturale. Minutieuse ou ample, retenue ou large, contrôlée ou libre... elle traduit ou trahit ses pulsions, son psychisme.

langage   histoire

Car l'outil du peintre comme prolongement direct de sa main n'est pas mécanique, il est animé par l'esprit.

La touche

La question du « comment c'est fait » enclenche la question du pourquoi de ce comment.

À chaque époque, sa mode, sa morale, sa passion... Les défenseurs de l'art classique traditionnel hérité de la Renaissance s'appliquent à dissimuler la touche picturale et usent d'une facture lisse, léchée, vitrifiée, qui ne laisse rien paraître. Les Vénitiens, les baroques, les romantiques et les modernes l'exhibent en jouant des empâtements de matière et en laissant visibles les traces du pinceau. Il y a donc pour chacun la règle du jeu (la technique) et la façon de jouer (la touche).

Rembrandt, *Autoportrait*, 1660, musée du Louvre. « *Toute œuvre de peinture est à la fois image, représentation et présence d'une existence.* » Gaëtan Picon (1915-1976), écrivain et historien de l'art.

Le geste

Au XXᵉ siècle, les surréalistes (1924) préconisent de s'en remettre à l'inconscient et expérimentent l'automatisme gestuel. À leur suite, les peintres de l'expressionnisme abstrait (1947) font du geste seul l'objet de la peinture. L'œuvre de Pollock se donne pour ce qu'elle est : de la matière travaillée par du geste. Cette « peinture en action », *action painting*, qui se pense en se faisant, transgresse l'art conventionnel qui considère l'œuvre comme la réalisation pratique d'une idée préalablement conçue dans l'esprit (c'est la conception d'Aristote). En se livrant à un corps à corps avec la toile, Pollock fait de son acte (la facture) le sujet même de l'œuvre.

Si les règles du jeu sont communes à tous les peintres, chacun a sa façon de jouer.

L'image

L'homme ne se connaît et ne se comprend que par rapport à une certaine image qu'il se donne des phénomènes qui l'entourent.

Représentation

« *Il est absolument nécessaire que ce monde soit l'image de quelque chose* », écrit Platon. Image, (du latin *imago*), signifie « représentation ». Représenter c'est reproduire, présenter à nouveau à partir d'un modèle. Le peintre est donc celui qui, en quelque sorte « re-présente » des formes empruntées au monde physique ou au monde symbolique. Si l'on en croit Aristote, l'homme est principalement un animal mimétique. Tout ce qu'il apprend, il le fait en se modelant sur son entourage. Ainsi la peinture occidentale aurait pour fonction ancestrale d'imiter la nature, de reproduire ses apparences.

Imitation

L'anecdote relatée par le philosophe Pline l'Ancien (Iᵉʳ siècle apr. J.-C.) est édifiante : Zeuxis et Parrhasios, les deux plus célèbres peintres grecs, se jettent un défi pour savoir lequel sera le plus fidèle à la nature. Zeuxis peint des grappes de raisin avec tant de vérité que les oiseaux viennent y picorer. Parrhasios, lui, a dissimulé son œuvre derrière un rideau. Zeuxis lui demande de l'écarter pour juger. Mais le rideau était peint... et Parrhasios est déclaré vainqueur. « Faire vrai » au point de se méprendre, telle sera l'ambition affirmée des classiques, de la Renaissance au XIXᵉ siècle. Pour Léonard de Vinci : « *Le tableau qui est le plus exactement conforme à l'objet imité est celui qui doit recevoir le plus d'éloges* » et pour l'Académie du XIXᵉ siècle, « *le peintre est un artiste qui représente les objets de la nature sur une surface plane comme s'ils étaient en relief* ».

Invention

Pourtant, quelles que soient les intentions de l'artiste, une image ne produit pas les choses dans leur vérité mais les choses dans leur apparence. Lorsque Magritte représente fidèlement une pipe en écrivant dessous :

langage · histoire

« *Ceci n'est pas une pipe* », il indique que toute figuration est une invention, un simulacre, une invitation à penser les apparences comme un leurre : je ne peux fumer cette pipe, seulement la penser comme objet. Ici, il rejoint Platon pour qui l'imitation est « trahison ».

L'image témoigne autant de l'existence des choses que de l'absence de l'original qu'elle représente : l'image d'un Dieu invisible, celle de la beauté d'un monde idéal (conception classique) ou celle du réel ordinaire (conception moderne) sont de pures créations de l'esprit. Le peintre « re-présente » l'apparence du monde à partir de formes existantes et imagine celles qui lui manquent. Il invente une image qui est le produit de la réalité sociale et imaginaire de son temps.

Lubin Baugin, *Nature morte à l'échiquier* (vers 1630), musée du Louvre. Cette allégorie des cinq sens veut inciter à réfléchir sur le caractère éphémère et le sens de la vie (*voir* pp. 26-27).

Symbole

Chaque époque se constitue un système de signes (ou symboles) qui répond à ses habitudes visuelles. Elle perd ses repères si l'artiste les bouleverse. La peinture peut alors provoquer de beaux scandales ! L'art ne dit pas comme le langage, il signifie à partir de formes. Comme l'indique le grec, « idée » vient de *eidos* qui signifie « forme ». Chaque forme véhicule donc une idée qu'il nous faut décrypter. Certaines sont universelles, d'autres supposent une sérieuse culture classique (mythologique, biblique ou littéraire). *L'Iconologia* de Cesare Ripa (1593) est une sorte de dictionnaire des symboles qui permet d'identifier les figures à leurs attributs et de personnifier des idées abstraites : allégories, mythes... Les mythes sont toujours d'actualité car ils sont des images qui permettent de penser et d'explorer ce qui dépasse la réalité humaine.

L'image invite à réfléchir sur le monde, l'image qu'on en a et celle qu'on en donne.

L'expression

Qu'est-ce que l'art ?
« *Ce par quoi les formes deviennent style* », répond André Malraux. Chaque expression a son style qu'il faut savoir identifier.

Style

L'œil s'aiguise à identifier les styles, chacun correspondant à une forme d'expression, propre à une manière, à un genre, à une époque.

La succession des styles dans le temps (*voir* pp. 54-55) a fait songer à un développement du type « évolution cyclique » : naissance – maturité – déclin (la phase classique correspondant à la maturité) ou à un déroulement continu, (« évolution linéaire »), chaque étape marquant un progrès par rapport à la précédente. Autrefois, le style constituait une unité sur une longue période tandis qu'aujourd'hui tous les styles coexistent dans leur diversité. Il peut y avoir une parenté entre des styles d'époques différentes (l'art du *quattrocento* et l'art moderne) ; deux styles peuvent coexister dans une même œuvre (par exemple chez Cézanne) ou être pratiqués distinctement par un seul peintre au même moment (tel Picasso). Autant de styles, autant d'expressions (et donc de formes de langage) qu'il faut pouvoir identifier pour lire l'œuvre.

langage   histoire

Linéaire /picturale

Il existe un autre moyen de s'exercer l'œil. On le doit à l'historien de l'art Heinrich Wölfflin. En 1929 il oppose deux types fondamentaux : le style linéaire et le style pictural qu'on retrouve à toutes les périodes de l'histoire de l'art. En comparant les formes de la Renaissance classique à celles du baroque, il observe des oppositions tranchées dans le mode d'expression. Le système classique privilégie la ligne (style linéaire) et implique une profondeur échelonnée par plans parallèles à la surface, un espace clos, un système d'emboîtement des formes, une lecture claire. Le système baroque privilégie la couleur (style pictural) et implique une profondeur suggérée par l'oblique, un espace ouvert, des formes intégrées au fond, une lecture confuse.

Au XVIIᵉ siècle la querelle s'officialise entre les partisans de Poussin (qui privilégie le trait) et ceux de Rubens (qui préfère la couleur). Selon l'Académie, le dessin est symbole de raison (connaissance, maîtrise, ordre) tandis que la couleur est symbole d'émotion (impulsion, passion, désordre). De cette façon on a pu opposer David à Boucher (XVIIIᵉ siècle), Ingres à Delacroix (XIXᵉ siècle) et même à leurs débuts Picasso à Matisse. Ce dernier, dès 1940, tranchera à vif dans la couleur (papiers gouachés découpés).

Figurative /abstraite

Autre grand débat, celui qui oppose les deux formes apparemment antinomiques de la figuration et de l'abstraction. Déjà à la préhistoire, le peintre faisait coexister deux sortes de formes : les animaux « naturalistes » et les symboles géométriques, et donc la forme imitative et la forme abstraite. Elles resteront les deux grandes orientations de l'art. Pourtant il faudra attendre le XXᵉ siècle pour que l'art abstrait s'affirme comme une tendance spécifique. La conscience de « faire abstrait » n'existe pas avant Kandinsky (1910). Elle se manifeste comme une expression individuelle, libre et expérimentale à l'égard des formes, qui n'exclut pas l'allusion au réel. L'art abstrait est une métaphore de l'univers.

Page de gauche :
Paul Sérusier,
Le Talisman (1888)
**musée d'Orsay.
Face à ce tableau,
Gauguin déclare
à Sérusier :**
« *Ne copiez pas
la nature, l'art est
une abstraction.
Tirez l'art de la
nature en rêvant
devant, et pensez
plus à la création
qu'au résultat.* »
**Il l'invite à ne pas
agir comme Zeuxis
(*voir* pp. 12-13).
On peut donc
conserver
une expression
figurative
en échappant
à l'imitation servile.**

Point de vue
« *La ligne et
la couleur font
penser et rêver
toutes les deux.* »
Charles Baudelaire.

> Un style est
> un mode
> d'expression
> plastique qui
> parvient à un
> langage formel
> universel.

Le propos

« *Si je peux le dire, pourquoi le peindre ?* » s'interroge Bacon. La peinture consiste à dire ce que nul autre langage ne peut exprimer.

Vélasquez, *La Vénus au miroir* (1650), *National Gallery*, Londres. Par le biais du miroir, (dans lequel logiquement le visage ne peut se refléter), le peintre nous invite à réfléchir sur la beauté (faciès flou peu séduisant), le réel et l'illusion, les apparences trompeuses.

Problématique

« *Se rappeler qu'un tableau, avant d'être un cheval de bataille, une femme nue ou une quelconque anecdote, est essentiellement une surface plane recouverte de couleurs en un certain ordre assemblées.* » Ce propos du peintre Maurice Denis, en 1890, résume la problématique de toute la peinture occidentale qui, selon une convention séculaire héritée d'Aristote, voit dans le tableau l'*analogon* de la réalité perçue, celle d'un monde analogue à trois dimensions. Pourtant, représenter le monde à l'identique, c'est-à-dire en volume sur une surface plane, est une gageure ; et croire que le peintre peut représenter le réel littéral, une méprise. La réalité immédiate que l'on perçoit à l'œil nu n'est qu'une partie très modeste du monde matériel et le champ pictural n'est qu'un fragment du champ visuel. Trouer le plan du tableau pour restituer l'idée de l'espace visuel suppose des artifices et imiter le réel de se conformer au modèle. Or la perception dépend

langage   histoire

du point de vue, de la distance... Si « l'art est *cosa mental* » (« chose mentale ») comme l'affirme Léonard de Vinci c'est parce qu'il est une activité intellectuelle qui en appelle à la perception et à l'imagination. En renvoyant au caractère énigmatique du réel, la peinture interroge l'acte même de voir et de percevoir.

Finalité

L'art est d'abord contemplation. « *Contempler, c'est admirer avec soin, admiration ou étonnement* », précise le dictionnaire Larousse. Pour les philosophes, la contemplation du beau donne sens à la vie (Platon), l'embellit (Nietzsche), nous en console (Schopenhauer). Pour Bergson, l'art dévoile le réel authentique ; pour Heidegger, il peut aussi dévoiler la réalité de l'être. Selon Hume, l'étude de la peinture détourne l'esprit de la précipitation propre aux affaires et à l'intérêt, entretient la réflexion. Dans tous les cas, la peinture est un instrument de connaissance : elle est une « *chose faite par un homme qui interroge son rapport au monde, pour un homme qui par elle interroge son rapport au monde* », déclare le peintre Soulages.

Discours

« *L'art doit chercher son langage dans le langage et contre le langage* », écrit Gaëtan Picon, il « *est sans doute la seule forme de progrès qui utilise aussi bien les voies de la vérité que celles du mensonge* », ajoute J.-M.G. Le Clézio. La peinture parle à sa façon. Elle parvient indirectement à une signification. Elle montre et elle suggère (la présence et l'absence du modèle) ; elle dit et elle ne dit pas dans le même temps. L'image s'adresse à notre activité mentale et renvoie à notre vie affective. « *Savoir, c'est se ressouvenir* », dit Platon. Et le philosophe de poursuivre : « *Je me connais parce que je me reconnais dans une chose qui est autre que moi et par laquelle, me comparant à elle, j'en viens à pouvoir me penser.* » Le tableau est donc un texte figuratif qui renvoie à un système de lectures qui s'adresse autant à l'œil, à l'intelligible et au sensible. Il ne vit que par celui qui le regarde. Il n'impose rien, il propose un discours autre que les langages ordinaires.

Langage de l'âme
« *Une œuvre est bonne lorsqu'elle est apte à provoquer des vibrations de l'âme puisque l'art est le langage de l'âme et que c'est le seul.* »
Wassily Kandinsky.

Spectacle
« *Il n'y a pas d'art sans échange. L'art est toujours spectacle et représentation.* »
Pierre Francastel.

La beauté en art est relative à l'effet qu'elle produit. Elle n'a d'autre objet que d'éveiller, de réveiller, l'œil et l'esprit.

Les grandes découvertes

Scientifiques ou empiriques, les découvertes des artistes ont révolutionné l'art de peindre.

Perspective
Le mot vient
du latin *perspicere*
qui signifie
« voir clairement ».

Perspective

La découverte des lois de la perspective appartient à la Renaissance italienne. L'architecte sculpteur Brunelleschi en est l'inventeur, et l'architecte Alberti, le premier théoricien (*De la peinture*, 1435). Suivront les peintres Masaccio, Piero della Francesca, Mantegna, Uccello... La perspective linéaire relève des mathématiques, elle permet de restituer la diminution des objets en profondeur. La « perspective des couleurs » et la « perspective d'effacement », inventées par Léonard de Vinci, relèvent de l'optique et se résument en une seule : la perspective aérienne. Celle-ci restitue les déformations que la lumière fait subir aux objets et intègre parfaitement les formes dans l'espace en faisant fusionner leurs contours (*voir* pp. 38-39). L'ensemble de ces découvertes (perspective classique) sera diffusé en Europe du Nord (XVIᵉ siècle) par l'Allemand Dürer (*voir* pp. 30-31). Puis au XVIIᵉ siècle et au XVIIIᵉ siècle, les peintres refusent le statisme et recourent à la « perspective plafonnante » qui donne des effets illusionnistes vertigineux. À la fin du XIXᵉ siècle, Cézanne constate que la perspective géométrique ne peut restituer la perception sensible que nous avons des choses (*voir* pp. 48-49).

Huile

La peinture à l'huile a pris le relais des peintures dites « a tempera » lorsqu'au XVᵉ siècle les frères Van Eyck ont adopté un diluant plus fluide : l'essence volatile. Cette découverte flamande sera diffusée à la même époque en Italie par le peintre Antonello de Messine. Le médium plus fluide, plus léger, plus malléable permet de superposer des couches légères et translucides (glacis), d'obtenir des effets de transparence, de profondeur. Au même moment, les Italiens mettent au point un nouveau support, plus souple et qui se roule : la toile. De la variété de son grain de tissage, les peintres vont tirer des effets inédits (touche par empâte-

**Filippo Brunelleschi
(1377-1446)**
Le plus grand
initiateur de
la Renaissance.
On lui doit
la coupole Santa
Maria del Fiore
à Florence
et le palais Pitti.

langage   histoire

ment de Titien). Les toiles tissées à la machine et les premières toiles toutes préparées par les manufactures datent du XVIIIe siècle. La peinture à l'huile sera commercialisée en tubes en 1840.

Clair-obscur

Dans un tableau, la lumière peut surgir de la couleur ou naître de l'ombre. C'est à Léonard de Vinci que revient l'idée de moduler la lumière sur un fond d'ombre pour suggérer le relief et la profondeur. Mais c'est à Giovanni Bellini (XVe siècle) que l'on doit de diffuser ce procédé à Venise. À sa suite, Giorgione et Titien pétriront les couleurs de lumière et d'ombre. Puis Le Caravage (*voir* pp. 36-37) invente un clair-obscur fortement contrasté à des fins expressives qui renouvelle la peinture en se diffusant à l'Europe (XVIIe siècle) : Rembrant, Vélasquez et La Tour.

Vermeer, *La Dentellière* (1665), musée du Louvre. Vermeer a utilisé la chambre obscure* pour construire son tableau.

Couleur

La couleur dépend de la matérialité picturale (pigments, liant, diluant), du support et de la facture du peintre (*voir* pp. 12-13). Selon qu'il opte pour « l'aplat » (lisse) ou « l'empâtement » (épais), la couleur varie d'intensité. À l'origine, les peintres traitaient la couleur comme une surface opaque, franche et vive. Grâce à l'huile, ils peuvent moduler les couleurs et restituer le ton local*. Au XIXe siècle, Delacroix applique la couleur selon la loi des contrastes simultanés (une couleur primaire* est plus vive à proximité de sa complémentaire* : rouge/vert). Sa découverte empirique rejoint les observations du chimiste Eugène Chevreul (1786-1889). L'ouvrage de Paul Signac *De Delacroix aux néo-impressionnistes*, publié en 1899, retrace l'histoire de l'application picturale du mélange optique des couleurs.

Les peintres ont une conception de l'univers physique qui s'accorde à la science et aux techniques de leur temps.

Le peintre

L'artiste exige que l'on récompense le talent (considéré comme noble) plutôt que le travail manuel (considéré comme « ignoble »).

Vermeer,
L'Art de la peinture
(1665),
musée
des Beaux-Arts
de Vienne.

Statut

Les paroles du peintre grec Apelle (IVᵉ siècle av. J.-C.) : « *Sutor, ne supra crepidam* » (« Cordonnier, pas plus haut que la chaussure ») s'adressent au cordonnier qui, après avoir critiqué dans l'un de ses tableaux une sandale, voulut juger du reste (Pline l'Ancien).

Ce proverbe, repris dès la Renaissance, revendique la distinction entre l'artisan (art mécanique) et l'artiste (art créatif), l'idée qui prime sur l'exécution servile. Après les exploits de Giotto (XIVᵉ siècle, *voir* pp. 32-33), les peintres italiens réclament le statut social d'art libéral qu'ils obtiennent au XVIᵉ siècle. Dans le reste de l'Europe, la reconnaissance de la noblesse de l'art (qui implique d'anoblir les peintres) s'impose peu à peu à la fin du XVIIᵉ siècle. Vélasquez recevra cette distinction juste avant sa mort. Au XVIIIᵉ siècle, la différence entre artiste et artisan est définitivement acceptée et l'enseignement des beaux-arts est autonome. Il est acquis qu'une œuvre d'art ne vise pas l'utilité pratique mais la beauté.

langage   histoire

Formation

Au XIIIᵉ siècle, les corporations (appelées « guildes » dans les Flandres) sont des associations d'artisans exerçant une même activité professionnelle ou artistique. Ils sont astreints à une formation qui les mène de l'apprentissage à la maîtrise en passant par le compagnonnage. Ils deviennent « maître » après la réalisation d'un chef-d'œuvre et peuvent alors ouvrir un atelier et enseigner. Les peintres de cour (au service de la monarchie) sont dispensés de ces obligations : ils ont le titre de « valets ». Les corporations sont peu à peu remplacées par les académies privées ou nationales. On y enseigne les arts, les sciences, la théorie et la pratique alors que les corporations se contentaient de fixer et de perpétuer une tradition technique.

En France, l'Académie royale de peinture (1648) deviendra un modèle pour l'Europe. Le métier y est strictement codifié (*voir* pp. 24-25).

Atelier

L'atelier a fait l'objet d'une abondante iconographie. Le thème apparaît au XVᵉ siècle en Flandre sous la représentation de « saint Luc peignant la Vierge ». Il garde son caractère religieux au XVIᵉ siècle : ce saint protecteur des peintres, identifiable à ses attributs (palette, chevalet) est assis ou à genoux devant la Vierge. Puis, le sujet se laïcise avec l'autoportrait du peintre. Les tableaux de Vermeer : *L'Art de la peinture* (1665), de Vélasquez : *Les Menines* (*voir* pp. 38-39) et de Rembrandt : *Le Chevalet* (1629) traitent de la création elle-même. Au XVIIIᵉ siècle, on aime à représenter l'histoire célèbre d'« Apelle peignant Campaspe » (Tiepolo). Au XIXᵉ siècle le thème s'individualise (Delacroix, *Coin d'atelier*) ou manifeste l'appartenance à un groupe (Courbet, *L'Allégorie réelle*, Bazille, *L'atelier de la rue La Condamine*, ou encore Fantin-Latour, *L'Atelier des Batignolles*). Au XXᵉ siècle, le thème prend la forme du « peintre et son modèle » pour évoquer la démarche artistique (Picasso, Matisse). Puis, l'autoportrait disparaît pour laisser place au caractère intime du lieu.

Peinture = poésie muette
Les peintres revendiquaient le statut d'art libéral reconnu à la poésie : « *Appelles-tu la peinture poésie muette, le peintre peut fort bien qualifier la poésie de peinture aveugle. Considère alors quel défaut est le plus grand, d'être aveugle ou muet ?* » **Léonard de Vinci.**

Histoire
Alors qu'il la peignait, Apelle s'éprit de Campaspe, la favorite d'Alexandre. Alexandre lui offrit le modèle (beauté passagère) et garda le tableau (œuvre d'art impérissable).

Le peintre n'est pas un homme ordinaire. Il associe la technique à une forme d'inspiration élevée.

Les commanditaires

Le travail du peintre dépend de ses commanditaires. Il lui faut s'adapter aux exigences de l'Église, de la cour, de l'État, de l'amateur.

L'Église

Dans la pensée chrétienne, le mystère de l'incarnation d'un Christ fait homme autorise qu'on le représente sous cette forme. L'image s'apparente à l'icône* : parce qu'elle fascine, elle suscite un mouvement de croyance. Si l'Église condamne l'adoration des images, elle encourage leur vénération et va assigner à la peinture un rôle éducatif. Dès le XIᵉ siècle, les artistes travaillent sous la direction des théologiens. La peinture est sous le contrôle du dogme et dans sa logique. Lors de la Contre-Réforme catholique, le concile de Trente attend de la peinture qu'elle convertisse les fidèles à sa cause. L'Église multiplie les commandes et refuse la peinture qu'elle juge inconvenante (comme certains tableaux du Caravage, *voir* pp. 36-37). Le pape, sa famille et sa cour sont les principaux commanditaires du peintre, par exemple Jules II pour Raphaël (Vatican 1508-1520), Paul III pour Michel-Ange (La chapelle Sixtine, 1536). Mais il faut compter aussi avec la famille royale et la noblesse, des bourgeois qui espèrent gagner leur salut en faisant don à l'Église de décors prestigieux.

La cour

Sur le modèle d'Apelle (*voir* pp. 20-21), seul peintre autorisé à représenter Alexandre le Grand, les artistes vont prétendre à l'égalité avec le souverain qui s'en remet à eux pour faire valoir son image et rendre compte de ses hauts-faits. Les « couples » Titien et Charles Quint, Léonard de Vinci et François Iᵉʳ, Rubens et Marie de Médicis, Van Dyck et Charles Iᵉʳ, Vélasquez et Philippe IV, Charles Le Brun et Louis XIV... réitèrent ce schéma. Le peintre est au service du roi ou de l'empereur ; il décore ses palais, contribue à son prestige. Seuls Bruegel l'Ancien franchement hostile au duc d'Albe,

langage   histoire

David critique à l'égard de Louis XVI et Goya opposé à Ferdinand VII, oseront des allusions critiques.

L'État

Dès la fin du XVIIIᵉ siècle en France, le néo-classicisme assigne à la peinture des fins politiques, sociales et morales. Profondément athée, David débarrasse la peinture de tout contenu religieux ou purement décoratif. Il exerce sous la Convention, le Directoire et l'Empire. Dans *Le Sacre* (1804), Napoléon l'oblige à représenter le pape Pie VII en train de le bénir. L'art est au service de la propagande comme au temps de la monarchie. Dans toute l'épopée napoléonienne, l'Empereur est présenté comme un héros moderne (Jean-Antoine Gros). À l'époque romantique, c'est la réaction individuelle à l'événement contemporain qui prime (Géricault, *Le Radeau de la Méduse*, 1819). La volonté de comprendre et de dénoncer l'actualité, de prendre ses distances vis-à-vis du pouvoir date du XIXᵉ siècle.

Goya, *Le Colosse* (1808), musée du Prado. Figure gigantesque, nue et menaçante, le colosse fait fuir la foule en proie à la panique. Goya peint de façon symbolique le chaos et les terribles pressentiments de l'Espagne de Ferdinand VII face à Napoléon.

L'amateur

L'amateur est souvent collectionneur et mécène. C'est lui qui va favoriser l'art laïc, l'art profane qui se développe dès le XVIIᵉ siècle aux Pays-Bas protestants. Privé de commandes religieuses et de grands décors, le peintre pour survivre se doit d'être marchand lui-même : se faire connaître, vendre en fonction des lois du marché. À Amsterdam, l'art fait figure de valeur sûre et on spécule sur les œuvres. Après avoir connu la gloire, les plus grands peintres hollandais, Hals, Rembrandt et Vermeer, mourront couverts de dettes.

> Le pouvoir et l'autorité des images n'ont pas échappé aux institutions. Pour l'amateur, l'art fait figure de valeur sûre.

Les sujets (1)

Dès l'Antiquité, on opérait déjà une distinction entre les sujets en fonction de leur contenu. En France, en 1648, l'Académie de peinture impose une hiérarchie des genres qui distingue le « grand genre » des « genres mineurs ».

Pieter Bruegel,
La Chute d'Icare
**(1558),
musée d'Art
ancien, Bruxelles.
Au premier regard,
on identifie
ce tableau
à un paysage.
Mais les jambes qui
s'agitent dans l'eau
renvoient à Icare
et donc
à la peinture
d'histoire.**

Histoire

La peinture d'histoire (mythologique, biblique, contemporaine ou littéraire) est le genre noble par excellence. Au XVIIᵉ siècle, l'avenir du peintre dépend de sa capacité à maîtriser l'histoire. Il entre à l'Académie comme apprenti puis il doit obtenir le premier prix du jury en présentant un tableau d'histoire. Il se rend alors à Rome durant trois ans. À son retour, il présente son « morceau d'agrément » sur un sujet imposé puis son « morceau de réception ». Une fois académicien, il peut recevoir des commandes royales et exposer au Salon*, seule occasion qui lui est donnée de montrer son travail. Parmi les académiciens, seuls les peintres d'histoire sont nommés officiers et autorisés à recevoir des commandes religieuses. Déjà au XVᵉ siècle, Léonard de Vinci montrait sa préférence pour « le grand genre » : « *Le bon peintre doit peindre principalement deux choses, l'homme et les idées de l'esprit humain. La première de ces choses est*

langage   histoire

facile, la seconde, difficile, parce qu'on ne peut exprimer les idées que par les gestes et les mouvements des membres. » Sa doctrine de l'expression sera développée par presque tous les théoriciens ultérieurs, surtout en France (Poussin, Le Brun...). Les gestes et l'expression faciale doivent permettre de traduire les sentiments et le « décorum » (costume, décor) être approprié à l'âge, au rang et à la position sociale de la figure.

Portrait

À l'époque où la photographie n'existe pas (elle apparaît autour des années 1820), le portrait peint est le seul moyen de fixer l'image d'un individu. L'individualisme allant croissant, il est aussi le meilleur gagne-pain du peintre. Son habileté consiste à amoindrir les imperfections de son modèle tout en conservant la ressemblance. Les premiers portraits sont religieux. Ils sont ceux des donateurs de l'œuvre figurés agenouillés à côté du Christ et de la Vierge (fin du Moyen Âge). Le premier portrait profane est l'œuvre d'un peintre anonyme de l'école de Paris qui représente le roi de France Jean le Bon, seul et de profil comme sur les médailles (1360). Puis les figures sont présentées de trois-quarts ou de face (XVe siècle) : le modèle richement vêtu adopte une pose flatteuse (portrait d'apparat) et se détache sur un fond de décor de paysage (Italie) ou d'un intérieur domestique (Flandre). Au XVIe siècle, le genre se codifie en Italie pour définir les bases du portrait classique : idéal, monumental, stable, serein, clair de lecture (Raphaël, *Baltazar Castiglione*, 1514). Parfaitement intégré dans un paysage ou isolé sur un fond neutre, il semble vivant, respire (portrait psychologique). Au XVIIe siècle, le portrait de cour en pied ou à cheval est solennel et pompeux ; le XVIIIe siècle recolle à l'histoire (portrait mythologique ou allégorique) puis évolue vers plus de réalisme (Reynolds). David et Ingres (XIXe siècle) inaugurent le portrait bourgeois sobre, élégant. Puis le portrait romantique « états d'âme » s'impose et Delacroix déclare : « *J'appelle ressemblant le portrait qui plaît à nos amis, sans que nos ennemis puissent dire : C'est flatté !* » (*Portrait de Chopin*, 1838).

Rupture
L'impressionnisme a été le premier grand mouvement pictural à rompre avec les « sujets nobles » dont on pensait jusqu'alors qu'ils étaient seuls générateurs de beauté.

Au XVIIe siècle, la peinture d'histoire appartient au « grand genre » et le portrait est le premier des genres mineurs.

Les sujets (2)

Spécialistes de scènes de genre, de paysages et de natures mortes, les Pays-Bas donnent ses lettres de noblesse au genre « mineur ».

Exception
Vers 1337,
le peintre siennois
Ambrogio
Lorenzetti a peint
les deux premiers
paysages
de l'histoire
de l'art : *Cité sur*
la mer et *Château*
au bord d'un lac,
(Pinacothèque
nationale
de Sienne).

Peinture de genre

L'apparition à la fin du XVIᵉ siècle de sujets qui empruntent à la vie quotidienne va donner naissance à « la peinture de genre ». Elle désigne les sujets « bas » inaugurés par Caravage qui représente avec réalisme des figures populaires dans des tavernes (musiciens, joueurs de cartes et bohémiennes). Son cadrage serré, ses figures en gros plan en costumes contemporains et sa lumière vive en diagonale vont constituer une sorte de présentation prototype pour l'Europe. À sa suite, Hals (*voir* pp. 2-3), Rembrandt, Georges de La Tour, Vélasquez, Ribéra et Murillo... vont donner vie à des figures joviales ou burinées de rides. La scène de genre, qui connaît un grand succès aux Pays-Bas, réunit tous les sujets de la vie réelle : paysans au travail, tâches domestiques des femmes (*voir* Vermeer pp. 18-19), scènes de concert, repas animés... Au XVIIIᵉ siècle, Watteau, Fragonard, Boucher et Chardin élargissent le genre à la vie bourgeoise puis le néo-classicisme met un terme à cette peinture jugée mineure que les impressionnistes remettront au goût du jour (1870).

Paysage

Jusqu'au XVIIᵉ siècle, le paysage reste toujours à l'arrière-plan, il sert de décor aux personnages. Avec les Hollandais qui se spécialisent en peintres de marines (sujets liés à la mer), de campagne, de vues urbaines ou paysages d'hiver, il devient un sujet à part entière. En Italie et en France le paysage est moins réaliste. Les peintres le recomposent selon un schéma qui emprunte aux coulisses de théâtre (des arbres de part et d'autre servent de figures « repoussoir » à l'image, instaurent une profondeur). L'Académie distingue le « paysage champêtre » peuplé de personnages (genre mineur) et le « paysage héroïque » (grand genre) habité de ruines antiques qui sert de cadre à des scènes historiques

langage   histoire

(Poussin, Le Lorrain). Au XVIIIᵉ siècle, Watteau avec les « fêtes galantes » développe le goût d'une nature plus sauvage, plus authentique (*voir* pp. 40-41). Les romantiques anglais (Constable, Bonington, Turner) donnent son élan au paysage moderne. À partir d'esquisses sur le motif, l'école de Barbizon (XIXᵉ siècle) saisit au plus près la réalité mais achève ses tableaux en atelier. Il faudra attendre les impressionnistes pour que les paysages soient intégralement peints sur le motif en plein air.

Nature morte

Qualifiée préalablement de « choses mortes et sans mouvement » ou de « vie silencieuse » (traduction de l'anglais *still life* ou de l'allemand *stilleben*), la nature morte, le plus souvent traitée en « trompe-l'œil », donne naissance au genre des « vanités » en Hollande au XVIIᵉ siècle et se développe surtout en France et en Flandre. Les objets représentatifs de la richesse de la nature et des activités humaines ont une implication philosophique qui invite à méditer sur la fuite du temps (sablier, horloge), la vanité des richesses, des plaisirs (*voir* Baugin pp. 12-13) et le triomphe de la mort. Ces réflexions ne sont pas au goût des XVIIIᵉ et XIXᵉ siècles mais le thème renaît au XXᵉ siècle avec Cézanne, Braque et Picasso. Ces peintres trouveront dans la nature morte un prétexte à expérimenter un nouveau langage plastique*. « *Ce sont nos tableaux qui deviennent des natures mortes, un sucrier a beaucoup à nous apprendre* », dira Cézanne.

Sujet ou tableau ?
« *Un peintre n'est
pas d'abord
un homme qui aime
les figures
et les paysages,
c'est d'abord
un homme qui aime
les tableaux.* »
André Malraux.

Viennent ensuite
dans cet ordre
d'importance
la scène de genre,
le paysage et la
nature morte.

Les particularismes nationaux

La peinture reflète la culture qui elle-même tient à la géographie, au climat et à la religion.

Titien, *Le Concert champêtre*, (1510), musée du Louvre. La lumière douce, dorée et vaporeuse, est caractéristique de l'art de Titien. Manet s'est inspiré du sujet de ce tableau pour *Le Déjeuner sur l'herbe* (1863).

Italie

Imprégnée de culture antique, (jusque dans la peinture de Giorgio de Chirico, 1914), la peinture italienne humaniste a imité la nature de façon sélective et surtout la sculpture romaine.

L'esthétique des artistes florentins conçue comme une abstraction intellectuelle vise l'idéal ; un idéal opposé à la vie avec toutes ses imperfections... À Venise, on privilégie plutôt la sensualité. L'art vénitien est directement lié à l'observation des eaux scintillantes, de la lumière et de l'air embrumé. De Bellini (XVᵉ siècle) aux *vedute** de Guardi (XVIIIᵉ siècle), il n'est question que de lumière dorée et argentée qui dissout le contour des formes. Les impressionnistes sauront s'en souvenir.

Écoles du Nord

Aux Pays-Bas, la beauté se veut exacte. Flamands et Hollandais ont en commun un goût du réalisme plus profond que dans le reste de l'Europe. Le rendu subtil des textures, une prédilection pour les scènes « vulgaires » et pour celles de la vie ordinaire font partie de la tradition culturelle. Initiateurs de la scène de genre, du paysage indépendant, du portrait plein de vie, du nu réaliste, ces artistes privilégient les techniques illusionnistes, qu'ils poussent à un rendu quasi photographique dans les natures mortes. Ils explorent le monde à la

langage   histoire

loupe ou au microscope et le restituent fidèlement. L'invention par Van Eyck de la peinture à l'huile (*voir* pp.18-19) est à l'origine de ce goût pour la vraisemblance, mais on retrouve cette volonté d'une beauté exacte lorsque Van Gogh exprime ses émotions, ou lorsque Mondrian peint symboliquement le monde sur un réseau de verticales et d'horizontales (schéma de composition de Vermeer). D'un naturel tourmenté, les artistes allemands (Grünewald, Dürer, Holbein, Cranach) ont en commun un goût pour la ligne énergique, le dessin incisif et l'expressivité douloureuse que l'on retrouve dans l'expressionnisme allemand (1905).

France

Au pays de Descartes et de Diderot, on aime la mesure, l'ordre, l'élégance, le raffinement. Au baroque on préfère donc le classicisme, celui de Poussin, Vouet, Le Sueur, La Hyre, Champaigne (XVIIᵉ siècle)... Même les scènes de la vie paysanne (Le Nain) ou de tous les jours (La Tour) sont empreintes de réserve pour maintenir la tradition du bon goût. L'Académie veille à le faire respecter et l'épisode rococo (XVIIIᵉ siècle) est significatif de la décadence de la monarchie. La peinture d'histoire survit jusqu'au XIXᵉ siècle mais l'esprit révolutionnaire n'épargne pas les peintres français. Dès 1863, Manet puis les impressionnistes rompent délibérément avec l'art conventionnel et ouvrent la voie aux avant-gardes du XXᵉ siècle.

Espagne

S'extérioriser et exposer en pleine lumière le drame de sa vie fait partie de la culture. Du Greco à Picasso, en passant par Vélasquez, Zurbaran, Murillo et Goya, tous les grands peintres espagnols ont eu une pratique existentielle de la peinture. Ils ont en commun un goût marqué pour la violence, l'anormalité, la monstruosité et une même fascination de la mort (poésie, flamenco des Gitans, corridas et peinture). La peinture espagnole a ceci de particulier, c'est de s'être toujours située aux antipodes de l'académisme.

Grande-Bretagne
Les paysages brumeux prédisposaient les artistes à utiliser l'aquarelle, une technique qu'ils transposeront à l'huile qu'ils rendent très fluide. Tradition oblige, le genre du portrait « gentleman » chic, raffiné et mélancolique, sera une spécialité des peintres anglais (Hogarth, Gainsborough, Reynolds, Lawrence...).

Si certaines traditions picturales persistent c'est que chaque pays a une façon de voir les choses qui lui est spécifique.

Du côté des peintres théoriciens

À quatre siècles d'intervalle, deux peintres théoriciens s'affrontent sur la manière de peindre le monde. L'un l'imite, l'autre l'exprime.

Michel-Ange
Ses poèmes ne sont pas des théories mais enseignent sur sa conception de la beauté qui n'est pas liée à la vérité scientifique. Pour lui, la beauté du corps humain masculin est le reflet du divin dans le monde matériel. Il donne aux formes humaines une proportion égale à neuf, dix et même douze fois la hauteur du visage. Il passera pour un génie excentrique.

Page de droite :
Dürer, *Autoportrait au chardon*, (1493), musée du Louvre.
Dürer fut un grand théoricien. Face au miroir, il expérimente sa peinture, l'interroge et s'interroge à travers elle. (Le premier autoportrait trouve son origine dans l'histoire mythique de Narcisse contemplant son reflet dans l'eau.)

Léonard de Vinci

Pour Léonard de Vinci (1452-1519), l'imitation artistique est un acte scientifique et la pratique doit être fondée sur une théorie solide. Ses observations sur la lumière et l'ombre (perspective aérienne) sont aussi manifestes dans ses écrits théoriques que dans sa peinture. Si sa vision est anthropocentrique (faisant de l'homme le centre du monde), elle n'est pas étroite : il réfute le principe d'une proportion humaine fixe et idéale (Alberti) et ne s'intéresse pas seulement à l'homme mais à tous les êtres vivants. L'artiste est un savant qui « *étudie, par la spéculation subtile et philosophique, les qualités de toute forme* » ; il est aussi un créateur qui doit « *montrer à l'œil* », au moyen du dessin et sous une forme visible, l'idée et l'invention qui ont existé tout d'abord dans son imagination. En conclusion, « *la sculpture montre sans grand effort ce qui en peinture semble le résultat d'un miracle : en effet la peinture fait paraître palpable l'impalpable, elle met en relief les objets plans, et crée un effet d'éloignement pour les objets rapprochés.* » (Léonard de Vinci, *Carnets*).

Paul Klee

Dans sa *Théorie de l'art moderne*, Paul Klee (1879-1940) use de « *la parabole de l'arbre* » pour expliquer le processus créateur qui relève plutôt du subconscient. Il le compare aux racines de l'arbre : « *De cette région afflue vers l'artiste la sève qui le pénètre et qui pénètre ses yeux. L'artiste se trouve ainsi dans la situation du tronc. Sous l'impression de ce courant qui l'assaille, il achemine dans l'œuvre les données de sa vision. Et comme tout le monde peut voir la ramure d'un arbre*

langage   histoire

s'épanouir simultanément dans toutes les directions, de même en est-il de l'œuvre. Il ne vient à l'idée de personne d'exiger d'un arbre qu'il forme ses branches sur le modèle de ses racines. Chacun convient que le haut ne peut être un simple reflet du bas. Il est évident qu'à des fonctions différentes s'exerçant dans des ordres différents doivent correspondre de sérieuses dissemblances. Et c'est à l'artiste qu'on veut interdire de s'écarter de son modèle, alors que les nécessités plastiques l'y obligent déjà. (...) Ni serviteur, ni maître absolu, mais simplement intermédiaire, l'artiste occupe ainsi une place bien modeste. Il ne revendique pas la beauté de la ramure, elle a seulement passé par lui. (...) L'art traverse les choses, il porte au-delà du réel aussi bien que de l'imaginaire (...) il ne reproduit pas le visible, il rend visible. (...) Autrefois, on représentait les choses qu'on pouvait voir sur terre, qu'on aimait ou aurait aimé voir. Aujourd'hui, la relativité du visible est devenue une évidence, et l'on s'accorde à n'y voir qu'un simple exemple particulier dans la totalité de l'univers qu'habitent d'innombrables vérités latentes. » L'art est à l'image de la création, en devenir permanent. Il faut donc penser plus à la formation qu'à la forme.

Perception
« *Tout notre savoir tire son origine de nos perceptions.* »
Aristote.

Tous les peintres théoriciens partent de la technique pour définir une esthétique. Leurs théories ont une fonction d'enseignement.

Saint François d'Assise recevant les stigmates

Giotto (vers 1300)

**Volet de retable*
comportant
une prédelle*,
Tempera
sur panneau
de bois
(3,13 x 1,63 m),
Musée
du Louvre.**

L'ange séraphin
Il s'agit d'un ange
supérieur à tous
les autres,
représenté avec
six ailes.

Histoire

Le sujet représente un épisode de la vie du saint
identifiable à son auréole et à sa robe de bure.
Agenouillé sur le sol de trois-quarts il reçoit du Christ,
personnifié par un ange séraphin, les stigmates, c'est-
à-dire ses blessures sur la Croix. Les rayons
symbolisent ce miracle. Les figures sont campées dans

langage   histoire

un paysage de collines planté d'arbres et encadré de deux maisons, qui évoque un décor de théâtre.

Sur la prédelle (de gauche à droite) :

- « le rêve du pape Innocent III », ce dernier demande à François de réparer son Église qui s'écroule ;

- « saint François reçoit l'autorisation du pape de fonder l'ordre des Franciscains » (un groupe de moines mendiants) ;

- « saint François prêche aux oiseaux », surnommé « le petit pauvre », François a abandonné toutes ses richesses par amour pour le Christ.

Tableau

La composition est construite sur une perspective à vol d'oiseau. Une grande diagonale sépare le monde terrestre du monde céleste. Elle est reproduite en écho par la figure en raccourci du Christ. Les verticales du saint, des maisons et des arbres stabilisent l'ensemble. Le tableau est structuré par des masses. Les figures se détachent nettement sur le fond ; échelonnées, elles donnent la profondeur. Les volumes sont nettement définis (corps du saint, plis de la robe). Les visages sont modelés (dégradé de couleur). Le style est sobre et monumental.

Commentaire

Dans son traité de peinture (vers 1390) Ceninno Ceninni écrira de Giotto qu'il a « *changé l'art de peindre du grec au latin* ». Parce qu'il a créé l'illusion de la vie, Giotto incarne le passage du monde médiéval-byzantin (grec) à celui du gothique occidental (latin). Le fond d'or évoque la peinture byzantine, mais le réalisme de la figure marque une rupture avec les images figées et frontales de Cimabue (*voir* pp. 10-11). Le saint ne flotte pas dans l'espace, il est bien sur terre, dans une attitude naturelle. C'est un homme ordinaire, expressif, comme en témoignent le regard inquiet, les rides du front. La perspective est encore maladroite mais la partie centrale de la prédelle indique que Giotto connaissait le point de fuite.

La mouche
Un jour, Giotto dessina une mouche si parfaite sur le nez d'un personnage que Cimabue tenta vainement de la chasser.

Légende
Cimabue surprit un jeune berger du nom de Giotto en train de dessiner une brebis sur un rocher. Émerveillé par son talent, il le prit dans son atelier.

Giotto (Florence, 1266-1337) a le désir de « faire vrai ». Son naturalisme annonce une nouvelle manière de penser la réalité.

La Joconde ou *Mona Lisa*

Léonard de Vinci (1503/1506)

Huile sur panneau de bois (77 x 53 cm),
Musée du Louvre.

Conseil
« *Les contours des choses sont ce qu'il y a de moins important. Donc, ô peintre, ne les cerne pas d'un trait.* »
Léonard de Vinci.

Histoire

L'identité du modèle reste un mystère. Il pourrait s'agir de Lisa Gherardini, l'épouse du banquier florentin Francesco del Giocondo. La jeune femme est représentée à mi-corps, tournée de trois-quarts vers le spectateur, le bras gauche en appui sur l'accoudoir d'un siège. Selon l'attitude de bienséance de l'époque, elle pose la main droite sur la main gauche au niveau de la ceinture. Elle ne porte aucun bijou, seulement un voile sur la tête. Ni madone, ni princesse, la Joconde est une femme dont la beauté répond aux critères du temps (pas de cils, ni de sourcils). La scène se passe dans une loggia qui surplombe la campagne. Initialement, Léonard de Vinci avait peint des colonnes de part et d'autre du modèle. Elles ont disparu lorsque le tableau fut coupé de quelques centimètres au XVIe siècle.

Influence
Léonard de Vinci n'aura pas d'héritier. Seulement des imitateurs du *sfumato*. Son *Traité de peinture* paraîtra en 1651.

Tableau

La composition s'inscrit dans une pyramide à l'intérieur de laquelle les lignes s'enroulent en spirale afin de faire pivoter le haut du corps depuis les hanches. La tête et les yeux amplifient ce mouvement. La figure monumentale domine plusieurs paysages. Au premier plan, le monde réel dans une gamme de couleurs terreuses, puis un chemin qui serpente (à gauche) et un pont (à droite) qui conduisent à un monde de brume bleutée. Le passage du brun chaud aux tonalités* froides du lointain s'opère progressivement grâce à un dégradé de valeurs* qui s'atténuent au fur et à mesure de l'éloignement (*voir* pp 18-19).

Commentaire

Léonard de Vinci incarne le génie de la Renaissance italienne. En savant-philosophe, il conçoit la peinture

langage   histoire

comme un instrument de connaissance et son observation du monde physique vise cette fin ultime. Ses observations anatomiques et optiques trouvent leur application dans la peinture. *La Joconde* est faite de chair et d'os et le paysage restitue le rendu atmosphérique. Il se teinte d'azur dans les lointains (masse d'air plus épaisse) et atténue la précision des formes (modification des contours et des couleurs). Léonard de Vinci estompe les contours avec ses doigts et donne un modelé vaporeux aux formes (*sfumato**). Il rend la fluidité de l'atmosphère par des passages subtils obtenus par la superposition de lavis* et de glacis*. La technique est au service de la démonstration.

Léonard de Vinci (Vinci, près de Florence, 1452-Amboise, 1519) tire son enseignement de la nature et recompose un monde de beauté idéale.

Le Repas à Emmaüs

Caravage (1606)

Huile sur toile (1,39 x 1,95 cm),
National Gallery, Londres.

À bas la hiérarchie des genres
« *Il me coûte autant de soins pour faire un tableau de fruits qu'un tableau de figures.* » Caravage.

Histoire

Au moment où il bénit le pain, les apôtres reconnaissent dans le Christ le Sauveur ressuscité. Selon les textes, il leur apparaît sous une autre forme que la sienne, ce que Caravage traduit en le représentant imberbe. Seul l'aubergiste n'a pas compris, en attestent son expression et la coiffure qu'il a gardée sur la tête. Son ombre se projette sur le mur mais pas sur le Christ dont le visage rayonne de lumière intérieure.
La scène se présente comme un repas animé.

Tableau

La composition pyramidale est légèrement décentrée. Malgré son schéma classique, le tableau est révolutionnaire. Le cadrage serré, les attitudes qui traduisent l'instant de surprise, les expressions très réalistes marquent une rupture avec le monde de grâce et d'équilibre de la Renaissance. La lumière provient de la gauche et découpe violemment les figures sur le fond neutre. L'apôtre au premier plan à gauche est prêt à se lever ; celui de droite, les bras en croix, marque sa stupéfaction, la main droite du Christ oblige le regard à refermer mentalement le schéma de construction qui maintient l'aubergiste à l'écart. Les figures en fort relief évoquent la sculpture. Elles paraissent si réelles que l'on a le sentiment d'assister en direct à la scène. Au premier

Censure
L'Église veille à ce que l'on distingue le sacré du profane et à ce que l'on n'offense pas la pudeur. Le célèbre tableau *La Mort de la Vierge* (1605), du musée du Louvre, sera refusé par le clergé parce que Caravage a pris pour modèle une pauvre noyée au ventre ballonné.

langage   histoire

plan, une table recouverte d'une nappe blanche réfléchit la lumière. Dessus, un somptueux morceau de nature morte qui montre la virtuosité technique du peintre. On notera les ombres portées très marquées, la corbeille de fruits en équilibre instable.

Commentaire

L'ensemble est théâtral (baroque), d'une grande clarté de lecture et l'aspect « instantané » de la scène invite à s'identifier au drame. Caravage crée dans l'esprit de la Contre-Réforme, qui encourage un art compréhensible par tous. Mais en donnant aux figures sacrées l'apparence de paysans rustres vêtus de costumes contemporains, il fait scandale. Grâce au clair-obscur*, il parvient à la spiritualité profonde. Peu d'artistes sauront résister à la force persuasive du caravagisme qui se répand dans toute l'Europe au XVIIᵉ siècle.

Caravage
(Caravaggio,
1573-Porto
Ercole 1610)
refuse tout
idéalisme pour
insuffler vie
à la peinture.
Il lui donne
l'intensité d'un
récit sans paroles.

Les Ménines

Vélasquez (1656)

Huile sur toile (3,10 x 2,76 m),
Musée du Prado.

Histoire

À l'origine le tableau s'appelait « La famille » (celle du roi
Philippe IV). Le sujet représente l'arrivée impromptue
de l'infante Marguerite dans l'atelier du peintre entourée
de ses demoiselles d'honneur, *las meninas* (ce qui signifie
« les pages » en espagnol).
En 1843, elles donneront leur titre à l'œuvre.
À droite des ménines qui encadrent l'infante, une naine

Théâtre
Vélasquez dépeint
la vie comme
un théâtre
où l'humanité est
abandonnée aux
caprices du destin.

langage   histoire

macrocéphale et un nain le pied posé sur un gros chien. Derrière eux, un couple : la surveillante des ménines et le garde du corps. Au fond, une porte ouverte et sur les marches d'un escalier éclairé, la silhouette en contre-jour du majordome. Sur le mur du fond, des copies de grands maîtres (Rubens, Joardens) et un miroir au cadre noir qui reflète l'image de la reine Marie-Anne et du roi. Ce miroir livre la clé de l'énigme : le peintre est en train de composer un grand portrait du couple royal qui se situe hors du tableau. Tous les regards convergent vers eux et vers les spectateurs. Vélasquez, un très grand pinceau à la main, nous prend à témoin.

Tableau

Le tableau est un prodige de perspective linéaire et spatiale (*voir* pp. 18-19). La lumière du jour provient de deux fenêtres (latérales droite) et de la porte ouverte du fond. Les gradations lumineuses restituent l'espace de la vaste salle de l'Alcazar qui servait d'atelier au peintre. Au premier plan, le revers d'une grande toile, le chien puis les deux nains qui ferment la composition. Tout s'organise à partir de l'infante, au centre. Elle reçoit toute la lumière tandis que son entourage apparaît dans la semi-pénombre. La gamme de couleurs est réduite au rose-rouge et au gris. La scène est vivante.

Commentaire

Vélasquez n'hésite pas à afficher son image aux dépens de celle du roi (*voir* pp. 38-39). L'œuvre condense tout ce qui donne à penser la peinture : elle est le fruit d'une élaboration mentale (le peintre médite avant l'exécution), l'apparence réelle n'est qu'une image fantomatique (le portrait flou dans le miroir), elle témoigne autant de l'absence que de la présence du modèle (le couple royal), le « vrai » n'est pas nécessairement laid (les nains), le tableau n'existe que par celui qui le regarde (tous les regards convergent vers le spectateur) et enfin l'art est instrument de connaissance (il interroge l'acte même de voir et de percevoir). C'est la « *théologie de la peinture* », résume le peintre italien du XVIIᵉ siècle, Luca Giordano.

La vie est un songe
Le titre de cet ouvrage de Calderón, contemporain de Vélasquez, est révélateur de l'esprit des intellectuels de l'époque :
« *Arrière les majestés feintes, arrière les pompes fantastiques, arrière les illusions... Pour moi, plus de mensonges, car désabusé de tout, je sais que la vie n'est qu'un songe.* »

Moderne
Pour Manet, « *Vélasquez est le peintre des peintres* ». La modernité de sa touche (rehaut de matière) influencera les impressionnistes.

Peintre de cour, Vélasquez (Séville, 1599-Madrid, 1660) incarne la liberté et la modernité dans la peinture.

Le Pèlerinage à l'île de Cythère

Watteau (1717)

Huile sur toile (1,29 x 1,94 m),
Musée du Louvre.

Érotisme voilé
« *Watteau est toujours chaste. Toute l'ardeur est dans la pensée.* »
Théophile Gautier

Histoire

Selon la mythologie grecque, Cythère était l'île où vivait Aphrodite (Vénus en latin), la déesse de l'amour. Sa statue dépourvue de bras, ornée d'une guirlande de roses, figure à la droite du tableau. Elle est identifiable au carquois (étui à flèches) posé à ses pieds, attribut de Cupidon (l'amour). Dans une brume laiteuse, des couples vêtus de costumes de théâtre s'apprêtent à rejoindre une chaloupe en contrebas. S'agit-il d'un départ pour l'île ou d'un départ de l'île ? Le titre de l'œuvre ne donne aucune information. Cythère, paradis de l'amour, est un thème à la mode bien qu'il ne reflète en rien les préoccupations du siècle des Lumières... Seulement un moment hors du temps, dans le style « rococo » de l'époque.

Rococo
Style baroque typique du XVIIIe siècle, caractérisé par une fantaisie inspirée des lignes contournées de roches érodées, de coquillages. En France le rococo apparaît sous Louis XV et prend le nom de « rocaille ».

Tableau

La composition se déploie en éventail ou en guirlande. De part et d'autre, une végétation luxuriante encadre la scène et fait le lien entre le premier plan et les lointains bleutés qui évoquent ceux de Léonard de Vinci. Un monticule de terre maintient notre regard à distance de la scène. La taille réduite des figures ajoute à l'ampleur du décor naturel. Les trois couples (aux contours plus nets) attirent l'attention. Le sculpteur Rodin (XIXe siècle) voyait en eux un seul couple, représenté à trois

langage   histoire

Copie non conforme
Il existe
une deuxième
version quelque
peu différente
de ce tableau
au musée
Charlottenburg
de Berlin.

Influence
Ce tableau figurait
parmi les œuvres
préférées
du peintre
impressionniste
Claude Monet.

moments différents : l'homme fait une proposition à la femme (couple assis), elle réfléchit puis accepte (il l'aide à se lever), ils partent (elle se retourne). Si Rodin a raison, ce tableau serait le premier de l'histoire de l'art à décomposer le mouvement d'une action en séquences !

Commentaire

L'Académie a cru bon d'intituler cette œuvre *La Fête galante,* considérant le sujet comme « une réjouissance d'honnêtes hommes ». L'étiquette de « peintre de fêtes galantes » suivra Watteau jusqu'à la fin de sa vie. Pourtant son œuvre ne se contente pas de mettre en scène des plaisirs futiles liés au délassement et au jeu. Watteau est le peintre de l'éphémère. Ses personnages de dos sont une allusion mélancolique à la jeunesse et à l'amour. Au début du XVIIIe siècle, il inaugure de nouveaux sujets qui expriment les sentiments les plus intimes avec une touche vibrante qui influencera les peintres impressionnistes.

Poétique
et musicale,
la peinture
de Watteau
(Valenciennes,
1684-Nogent-sur-
Marne, 1721)
est un hymne
vibrant
à l'amour.

Le Serment des Horaces

David (1784-1785)

Huile sur toile (3,30 x 4,25 m),
Musée du Louvre.

Révolution
Par son
intermédiaire,
la Révolution
française
va récupérer toute
la symbolique
de l'imagerie
romaine et opérer
un retour
à une pensée
laïque.

Histoire

Le récit de Tite-Live relatant la guerre entre Rome
et Albe (VIIᵉ siècle av. J.-C.) est rendu célèbre par
la tragédie de Corneille, *Horace*. La querelle entre
les deux cités doit être réglée par un combat singulier
entre deux groupes de trois champions, les frères
Horaces et les frères Curiaces. David choisit le début
de l'action et invente l'idée du serment. Il représente
le père des Horaces exhortant ses fils à combattre
et ceux-ci lui jurent de vaincre. Sur la droite du tableau,

langage   histoire

Sabine (sœur des Curiaces, mariée à l'aîné des Horaces) et Camille (sœur des Horaces, fiancée à un Curiace). Le sujet héroïque se situe dans l'*atrium* (cour intérieure) d'une maison romaine aux colonnes doriennes.

Tableau

Au sommet d'une grande composition pyramidale, les armes. L'enjeu de la scène : la guerre. À l'intérieur de ce schéma, de part et d'autre du père, deux structures pyramidales plus petites : l'une est tendue (celle des hommes), l'autre s'affaisse (celle des femmes). David oppose le courage (viril) à la sensibilité (féminine). La présentation en frise est empruntée aux bas-reliefs antiques.

Le tableau est construit sur un réseau de lignes verticales et horizontales qui rapproche les figures du spectateur. La scène obéit à un rythme ternaire (arcades, groupe masculin et féminin). La symétrie traduit l'équilibre. L'ensemble est statique (pas de mouvement, la lance à gauche le stabilise). La lumière franche définit nettement les formes : le dessin est ferme, les contours tranchés. La palette est sobre : couleurs éclatantes pour les hommes, atténuées pour les femmes. Les contrastes d'ombre et de lumière sont très marqués. La facture est lisse et précise. Tout concourt à la clarté de lecture. La rigueur et la simplicité sont au service de l'essentiel.

Commentaire

Pour réaliser ce tableau commandé par Louis XVI, David se rend à Rome. Les découvertes d'Herculanum (1748) et de Pompéi (1752) ont remis l'Antiquité au goût du jour. Le style léger, artificiel et décoratif, n'est plus de mise.

David exprime en peinture de nouvelles aspirations politiques. Le héros antique (grandeur, abnégation, amour de la patrie, sacrifice de l'intérêt particulier...) est le modèle à suivre.

Grandeur
« *La seule façon d'accéder à la grandeur et, si possible, à l'inimitable, est l'imitation de l'Antique.* » J. Winckelmann, théoricien de l'école néo-classique.

Apogée
L'art néo-classique connaîtra son apogée pendant la période napoléonienne (style Empire).

L'art néo-classique de David (Paris, 1748-Bruxelles, 1825) incarne la volonté d'une nouvelle conception morale du politique.

La Mort de Sardanapale

Delacroix (1827)

Huile sur toile (3,92 x 4,96 m),
Musée du Louvre.

Histoire

Le sujet se réfère à la tragédie du poète anglais lord
Byron, publiée en 1821 sous le titre de *Sardanapalus*.
Selon la légende, Sardanapale est un roi assyrien
de Ninive (VIIᵉ siècle av. J.-C) qui vivait à Babylone et
dont le nom grec est Assourbanipal. Delacroix résume
ainsi l'histoire : « *Lors de la guerre civile, sa ville est
cernée. Il décide de mettre le feu à son palais et se couche
sur un lit superbe au sommet d'un immense bûcher,
puis donne l'ordre d'égorger ses femmes, ses pages,*

Éloge
« *Un bougre
de grand peintre,
la plus belle palette
de France.* »
Paul Cézanne.

langage   histoire

jusqu'à ses chevaux et ses chiens favoris. Aucun des objets qui avaient servi à ses plaisirs ne devait lui survivre. » Le tableau est une évocation de l'Orient qui fascine tout le XIXe siècle. Delacroix donne toute sa démesure à ce théâtre fabuleux.

Tableau

Le peintre reprend à Rubens (XVIIe siècle) son schéma de composition baroque. Il construit son tableau sur une spirale pour créer l'illusion d'un tourbillon qui se développe en diagonale. La lumière sert de guide. Épargnant Sardanapale, celle-ci descend en faisceau le long du lit et éclaire tragiquement la scène où chaque personnage torturé se débat. Les forces qui s'opposent suggèrent l'affolement général. On entre, on sort, on se cabre et on se cambre. La couleur rouge domine tout. Sans peindre de flamme ni de sang, Delacroix suggère avec le rouge le bûcher, la chaleur, le massacre. Victimes entre toutes, les femmes reçoivent toute la lumière.

Commentaire

Lorsqu'il expose ce tableau au Salon de 1827, Delacroix crée un véritable scandale.

On lui reproche le désordre, la débauche de couleur, la passion débridée. Comme tous les romantiques, Delacroix pense que l'art doit « *remuer les sentiments* ». Pour Baudelaire, son défenseur, il est « *le plus suggestif de tous les peintres.* » D'emblée hostile au style classique officiel, le peintre n'est pas allé en Italie copier les antiques mais en Angleterre (1825) où il a pu voir le travail sur la couleur de Constable et de Turner, qui transposent à l'huile la technique de l'aquarelle. Il utilise une matière fluide pour les fonds, une pâte épaisse pour les premiers plans et a recours au « flochetage », un procédé qui juxtapose de petites touches de couleur pure sans chercher à respecter les contours des objets. Il peint les ombres en couleurs, joue de leurs contrastes et met en pratique les observations de Chevreul (*voir* pp. 18-19).

Hors de soi
« *Je plains les gens qui travaillent tranquillement et froidement. Il faut être hors de soi pour être tout ce qu'on peut être.* »
Eugène Delacroix.

Nuance
Selon Baudelaire, le romantisme ne réside « *ni dans le choix des sujets, ni dans la vérité exacte, mais dans la manière de sentir.* »

Delacroix (Charenton, 1798 - Paris, 1863) privilégie l'imagination sur l'imitation. Avec la couleur il exprime la violence, la fougue, la passion.

L'Olympia

Manet (1863)

Huile sur toile (1,30 x 1,90 m),
Musée d'Orsay.

Modèle
« Il faut toujours
avoir ça sous
les yeux...
C'est un état
nouveau
de la peinture.
Notre Renaissance
date de là... »
Paul Cézanne.

Raillerie
S'adressant
à Manet,
Baudelaire
(qui défendait l'art
moderne) lui dit
en plaisantant :
« Vous êtes
le premier dans
la décrépitude
de votre art. »

Charnel
Face à
La Naissance
de Vénus
de Cabanel (1863),
aseptisée, déifiée,
aussitôt achetée
par Napoléon III,
L'Olympia
apparaissait
comme un nu
charnel
peu convenable.

Histoire

Avec ce nu peint six mois après son célèbre *Déjeuner sur l'herbe*, Manet signe l'acte de naissance de la peinture moderne. Le tableau exposé au Salon en 1865 fait scandale. On lui reproche tout : le sujet et la technique picturale. Même son contemporain Gustave Courbet s'indigne : « *C'est plat, ce n'est pas modelé... On dirait la dame de pique d'un jeu de cartes sortant du bain !* » Pourtant Manet a simplement voulu être de son temps, faire ce qu'il voyait sans s'inquiéter de la mode. À l'inverse des peintres officiels reconnus par l'Académie, il n'est pas parti d'un nu réel pour peindre une « Vénus » (modèle de beauté idéale), mais de *La Vénus* du Titien (1538) pour peindre un nu réaliste. Manet est le dernier des classiques et le premier des modernes.

Tableau

Le peintre actualise un thème millénaire en le traitant dans un langage moderne. Il prend pour modèle son amie Victorine Meurent et la représente comme il la voit, sans chercher à idéaliser ses proportions. Il emprunte au Titien la présentation allongée de la figure mais supprime toute profondeur à la scène (ici, pas de fenêtre ouverte sur un paysage, le mur fait écran). *La Maja desnuda* de Goya (1802) lui inspire le regard du modèle. La palette gris et rose évoque Vélasquez (son peintre favori) et le châle en cachemire est un hommage à Ingres. Mais le traitement n'a plus rien de classique. Comme dans les gravures japonaises, Manet cerne son modèle d'un trait noir et le plaque sur le fond au lieu de l'y intégrer. Il refuse tout rendu illusionniste, utilise des teintes

langage   histoire

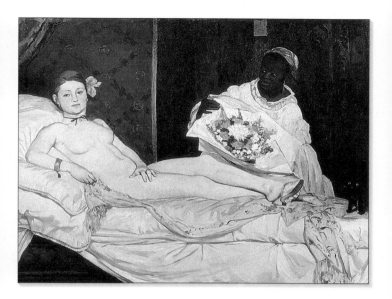

uniformes sans réel modelé, simplifie ses formes et use d'une lumière crue qui accentue les contrastes clair/sombre.

Commentaire

Cette œuvre choque à cause de sa facture et de l'arrogance du modèle qui nous toise. On y voit une prostituée qui reçoit le bouquet d'un client. Le chat noir clôt la composition comme un point d'exclamation final ! Ni Vénus, ni odalisque, ce nu n'a plus d'alibi mythologique ou allégorique. Selon l'usage, Manet aurait dû destiner ce tableau à une clientèle privée plutôt que de le présenter au Salon. Dénué d'histoire (au sens noble du terme), le nu ne raconte plus rien. Dépourvu de profondeur, de « rendu », le tableau ne donne plus l'illusion d'un corps.

Avec *L'Olympia*, Manet (Paris, 1832-1883) met fin à quatre siècles de tradition picturale et signe l'acte de naissance de la peinture moderne.

Pommes et oranges

Cézanne (1895-1900)

Huile sur toile (74 x 93 cm),
Musée d'Orsay.

Leçon

« *Le peintre doit
se consacrer
entièrement
à l'étude de la nature
et tâcher
de produire
des tableaux
qui soient
un enseignement.* »
Paul Cézanne.

Histoire

Ces objets inanimés serviront de prétexte aux recherches du peintre qui déclare : « *Tout dans la nature se modèle selon la sphère, le cône, le cylindre. Il faut s'apprendre à peindre sur ces figures simples, on pourra ensuite faire tout ce qu'on voudra.* » Avec la pomme, (l'un des fruits qui se gâte moins vite), Cézanne fait ses gammes. Il cherche à représenter une image de la réalité plus objective que la simple

langage   histoire

apparence : le monde n'est pas figé mais en devenir permanent. Le peintre ne rejette pas le métier, il refuse de représenter les choses suivant les conventions académiques. Pour restituer « *sa petite sensation* » face à « *ces objets qui ne cessent pas de vivre* », il invente un nouveau langage.

Tableau

À l'intérieur d'un schéma de composition classique, Cézanne fait coexister plusieurs perspectives (frontale, plongeante et en contre-plongée). Les fruits sont disposés en pyramide pour accentuer le volume sans avoir recours au trompe-l'œil, et une géométrie savante tisse des liens solides entre les pommes vues simultanément de face, de dessous, de dessus. Une nappe blanche contrebalance l'opulence du décor. L'ensemble est à la fois solide et instable. Le point de vue en contrebas oblige le regard à parcourir la toile de bas en haut. « *Les déformations de perspective cessent d'être visibles quand on regarde le tableau globalement et donnent l'impression comme dans la vision naturelle que les objets sont en train d'apparaître, de s'agglomérer sous nos yeux* », observe le philosophe Merleau-Ponty.

Commentaire

Pour Cézanne, la peinture est avant tout expérimentale. Il lui fallait cent séances de travail pour une nature morte... Toute sa vie, il cherchera à traduire en peinture les sentiments d'éternité et de fugitif que lui évoque sa vision du monde. Pour y parvenir, il devra repenser toutes les composantes de la peinture, assigner d'autres fonctions à l'espace, à la forme, à la couleur. Il est considéré comme l'un des plus grands précurseurs de l'art du XXe siècle, « *notre père à tous* », dira Picasso. Suivant son exemple, les peintres s'intéresseront à la présence physique des objets, à leurs relations spatiales, aux tensions qu'ils entretiennent entre eux. Ils aboutiront au fauvisme, au cubisme, à l'abstraction.

Le doute
Cézanne s'identifiait au personnage de Frenhofer dans le roman de Balzac, *Le Chef-d'œuvre inconnu* : un peintre qui s'acharne longtemps sur une toile ne présentant aux yeux des visiteurs que « *des couleurs confusément amassées et contenues par une multitude de lignes bizarres* ». Il se reconnaissait aussi dans le personnage de Claude Lantier, peintre raté dans *L'Œuvre* de Zola (1886).

Précision
« *La nature est à l'intérieur.* »
Paul Cézanne.

Cézanne (Aix-en-Provence, 1839-1906) bouleverse les règles picturales en vigueur. Son observation de la nature le conduit à réinventer le monde.

Guernica

Picasso (1937)

Huile sur toile (3,51 x 7,82 m),
Centre d'art moderne de la reine
Sofia, Madrid.

La mort du beau dans l'art
Il faut dissocier la beauté d'une œuvre d'art et la représentation d'une chose belle. L'art peut-être beau et évoquer la charogne (Baudelaire), l'horrible (Bosch)... Sa fonction est de nous révéler ce que Malraux appelle la « *part nocturne du monde* », celle que nous évitons de regarder. La fonction de l'art moderne n'est pas d'exprimer la beauté mais le réel authentique. Nous pouvons ne pas avoir envie de regarder ce tableau, nous ne pouvons pas faire que le tragique n'existe pas.

Provocateur
Durant l'occupation allemande, à un officier nazi qui perquisitionne chez lui et lui demande devant une photographie du tableau : « *C'est vous qui avez fait cela ?* », Picasso répond : « *Non, c'est vous !* »

Histoire

Le 27 avril 1937, la nouvelle parvient à Paris que des bombardiers allemands, à la solde de Franco, ont effacé de la carte la petite ville de Guernica, ancienne capitale des Basques. Picasso découvre dans la presse les photos de la ville détruite.

Il décide de peindre ce tableau pour l'Exposition universelle de Paris. Les différentes étapes de l'œuvre (50 études préparatoires) sont connues grâce aux photographies de Dora Maar. Le tableau sera achevé à la mi-juin. L'œuvre sera jugée par les dirigeants républicains espagnols, pourtant directement visés par ce massacre, comme « *antisociale, ridicule et tout à fait inadéquate à la saine mentalité du prolétariat* ». Il sera même question de la retirer du pavillon espagnol de l'exposition ! Sitôt qu'un peintre rompt avec les habitudes visuelles, on dit qu'il « déforme », on parle de décadence... L'œuvre sera définitivement transférée en Espagne en 1981.

Tableau

À la destruction de la guerre, Picasso oppose la création de l'artiste : des formes simplifiées, des couleurs de deuil, des angles aigus et de violents contrastes de lumière et d'ombre. Tandis qu'un taureau cherche l'ennemi absent de la scène (allusion prophétique à l'anonymat de la guerre moderne), un cheval blessé avec une langue dardée comme

langage   histoire

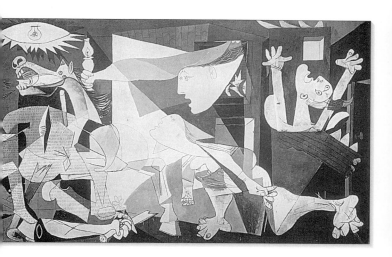

un poignard refuse de se rendre. Autour, des corps déchiquetés, des cris de détresse et l'expression stupéfaite des femmes devant l'horreur. Picasso a repris les figures de la corrida et limité sa palette au noir, au blanc et au gris. Les formes sont plates et simplifiées, comme sur une affiche.

Emblème de la douleur humaine, *Guernica* est la version moderne du thème du massacre des innocents.

Commentaire

Avant *Guernica*, l'œuvre de Picasso se refusait à toute signification car, disait-il, « *la photographie est venue à point nommé pour libérer la peinture de toute littérature, de l'anecdote et du sujet* ». Devant cet événement, il renoue à sa façon avec la peinture d'histoire (*voir* pp. 24-25), s'engage et déclare : « *Non, la peinture n'est pas faite pour décorer les appartements. C'est un instrument de guerre offensive et défensive contre l'ennemi.* » Picasso rejette la virtuosité qu'il identifie à la facilité et aussi le style unique qui enferme l'artiste.

Belle idée
« *Le beau se définit comme la manifestation sensible de l'idée.* »
Hegel (1770-1831).

Énigme
« *Peindre, c'est chercher le visage de ce qui n'a pas de visage.* »
Samuel Beckett.

Picasso (Malaga, 1881-Mougins, 1973) incarne l'artiste du XXᵉ siècle, libre de créer comme bon lui semble.

Glossaire

Académisme : désigne l'art officiel du Second Empire et de la IIIe République, qualifié péjorativement de « pompier ».

Baroque : du portugais *barocco*, qui signifie « perle irrégulière ». Le baroque désigne un art aux formes exubérantes et mouvementées.

Canon : règle qui établit les proportions et les formes d'un type humain idéal (dans le canon grec, la tête est comprise huit fois environ dans la hauteur du corps).

Chambre obscure : boîte noire intérieurement, dont l'une des faces est percée d'une ouverture munie d'une lentille par laquelle pénètrent les rayons envoyés par les objets extérieurs et dont l'image exacte va se former sur l'écran.

Champ pictural : portion d'espace peint embrassé par l'œil.

Clair-obscur : technique qui consiste à modeler les formes par des passages subtils de la lumière à l'ombre.

Classique : le style dit « classique » désigne un art équilibré et construit qui trouve ses sources d'inspiration dans l'Antiquité gréco-romaine.

Composer une œuvre : organiser le sujet à représenter sur la toile de façon à ce que les parties forment un tout, un ensemble, une synthèse. Les lignes de composition donnent la structure du tableau.

Couleurs :
- les couleurs primaires : le rouge, le jaune et le bleu sont à la base de toutes les autres.
- les couleurs secondaires résultent d'un mélange de deux couleurs primaires (bleu + jaune = vert, rouge + jaune = orange, bleu + rouge = violet).
- les couleurs complémentaires fonctionnent par opposition : le vert est la complémentaire du rouge, l'orange est la complémentaire du bleu, le violet est la complémentaire du jaune.

Détrempe : technique picturale dans laquelle les couleurs sont broyées à l'eau, puis délayées au moment de peindre avec un liant (colle de peau tiède, huile émulsionnée, gomme, cire, miel).

Dégradé : affaiblissement progressif de l'intensité lumineuse d'une couleur. Le dégradé fait passer une couleur par tous les degrés de valeur.

Esthétique : du grec *aisthêtikos* « sentir ». Science du beau dans la nature et dans l'art ; philosophie de l'art (Platon, Aristote, Hegel, Alain, Kant...)

Fond : *(concret)* - plan uniforme sur lequel se détachent les figures et les objets représentés. *(abstrait)* - ce qui fait la matière, le sujet d'une œuvre (opposé à la forme).

Format : dimensions (hauteur sur largeur ou diamètre) des peintures. Le format rectangulaire le plus proche du carré est appelé format *figure* ; le format rectangulaire le plus allongé est appelé format *marine* ; le format intermédiaire est appelé format *paysage* ; le format circulaire est appelé *tondo* (abréviation de l'italien *rotondo* : « rond »).

Forme : *(concret)* - apparence extérieure donnant à un objet ou à un être sa spécificité ; *(abstrait)* - manière dont les moyens d'expression son organisés en vue d'un effet esthétique.

Fresque : technique très ancienne de peinture murale sur une préparation à base de plâtre.

Icône : du grec *eikôn* « image ». Dans l'Église d'Orient, peinture religieuse exécutée sur un panneau de bois. Icônes byzantines, russes.

Iconoclaste : celui qui s'oppose à l'adoration et au culte des images saintes jusqu'à les proscrire ou les détruire.

langage   histoire

Iconographie : étude de la signification des images, des diverses représentations figurées d'un sujet et l'ensemble de ces représentations...

Illusionnisme : art de créer de l'illusion par des artifices, des trucages.

Lavis : encre de Chine ou toute autre couleur délayée dans de l'eau.

Mise au carreau : technique permettant de reporter une esquisse sur une grande surface selon le procédé du quadrillage.

Nombre d'or : principe d'harmonie universelle paré de significations mystiques, esthétiques, ésotériques appelé aussi divine proportion, section divine ou section d'or.

Œuvre : du latin *operare* « travailler » : Un œuvre désigne l'ensemble des œuvres d'un peintre (l'œuvre gravé de Rembrandt par exemple) - Une œuvre est un ouvrage organisé de signes et de matériaux propres à un art.

Plastique : qui a trait à la forme. Les arts plastiques sont ceux qui ont le pouvoir d'élaborer des formes.

Prédelle : partie basse d'un retable. Elle joue le rôle des cryptes dans la peinture murale. Le sujet y est toujours anecdotique. Il permet à l'artiste de prendre quelques libertés qu'il s'interdit dans la partie centrale.

Repentir : correction apportée par l'artiste au cours de l'exécution.

Retable : panneau de bois peint qui surmonte et décore l'autel d'une église. Un retable comporte un panneau central toujours plus grand (destiné à la Vierge ou au Christ) et des volets sur les côtés (destinés aux saints). Toujours en nombre impair, l'ensemble peut comprendre de trois (triptyque) à sept panneaux (polyptyque).

Salon : exposition périodique, annuelle ou bisannuelle, d'œuvres d'artistes vivants qui se tenait au Louvre du XVIIe siècle au début du XIXe siècle.

Sfumato : de l'italien *sfumare* : estomper.

« Support-surface » : nom d'un groupe artistique français né en 1970 qui s'intéresse à la réalité physique du tableau.

Symbole : objet ou fait naturel de caractère imagé qui évoque, par sa forme ou sa nature, une association d'idées avec quelque chose d'abstrait ou d'absent.

Tableau : du latin *tabula* : « *On prétend que les anciens peintres ne peignaient que sur des tables de bois blanchies à la craie, d'où vient le mot* tabula » (Bossuet). Un tableau désigne à la fois un support indépendant et une œuvre achevée (par opposition à l'esquisse), constituée d'un support, d'une manière picturale et d'un vernis.

Théorie de la forme (traduction allemande de *Gestaltheorie*) : théorie moderne de la perception globale. « Quand je vois un arbre, je ne perçois pas d'abord les feuilles, puis les branches... pour en déduire l'idée d'arbre, je perçois d'abord l'arbre comme une totalité (une forme, une structure), ensuite seulement, je pense à analyser qu'il y a des feuilles, des branches, etc. Cette théorie va à l'encontre de la psychologie classique pour qui la perception globale n'est pas première mais un composé de sensations particulières. »

Tonalité : dominante colorée d'une composition picturale.

Ton local : imite la couleur des objets naturels.

Valeur : pour chaque ton il existe une échelle de valeurs que l'on utilise dans les dégradés, allant du sombre au clair.

Veduta, vedute : mot italien désignant les vues naturelles de paysage des peintres, Canaletto, Guardi, appelés « vedutistes ».

Vernis : touche de finition d'une peinture. Le vernis protège la matière picturale du milieu ambiant.

Rétrospective historique
des noms mentionnés dans cet ouvrage

XIIIᵉ et XIVᵉ siècles
Moyen Âge

Cimabue (1240-apr.1302)
Giotto (1267-1337)
A. Lorenzetti (1319-1348)
J. Van Eyck (1390-1441)

XVᵉ ou quattrocento
Renaissance italienne

Uccello (1397-1475)
Masaccio (1401-1428)
Piero della Francesca
(1416-1492)
Mantegna (1430-1506)
A. de Messine (1430-1479)

XVIᵉ siècle
Renaissance européenne

ITALIE
G. Bellini (1430-1516)
L. de Vinci (1452-1519)
Giorgione (1477-1510)
Titien (1488-1576)
Raphaël (1483-1520)
Michel-Ange (1475-1564)
Véronèse (1528-1588)

FLANDRE
J. Bosch (1450-1516)
P. Bruegel (1525-1569)

ALLEMAGNE
Grünewald (1445-1531)
Holbein (1460-1524)
Dürer (1471-1528)
Cranach (1472-1553)

XVIIᵉ siècle
Baroque

ITALIE
Caravage (1571-1610)

PAYS-BAS
Rubens (1577-1640)
V. Dyck (1635-1672)
Jordaens (1593-1678)
Rembrandt (1606-1669)
Vermeer (1632-1675)

FRANCE (classicisme)
Poussin (1594-1665)
Le Nain (1588-1648)
Vouet (1590-1649)
Le Sueur (1616-1655)
G. de La Tour (1593-1652)
Le Lorrain (1600-1682)
L. Baugin (1612-1663)
Le Brun (1619-1690)

ESPAGNE
Greco (1541-1614)
Ribéra (1591-1652)
Vélasquez (1599-1660)
Zurbaran (1598-1664)
Murillo (1618-1682)

langage   histoire

XVIIIe siècle	XVIIIe et XIXe siècles	XIXe siècle
Rococo	Néo-classicisme (1760-1840) Académisme[1] (1840-1870)	Romantisme (1800-1840)

FRANCE	FRANCE	FRANCE
Watteau (1684-1721)	David (1748-1825)	Géricault (1791-1824)
Boucher (1703-1770)	Ingres (1780-1867)	Gros (1771-1835)
Chardin (1699-1779)	Cabanel[1] (1823-1889)	Delacroix (1798-1863)
Fragonard (1780-1850)		
	ANGLETERRE	ESPAGNE
ITALIE	Reynolds (1723-1792)	Goya (1746-1828)
Guardi (1712-1792)		
Tiepolo (1696-1770)		
Canaletto (1697-1768)		

FRANCE XIXe siècle : début de l'art moderne

Réalisme (vers 1850)	Impressionnisme (1869-1886)	Post-Impressionnisme (1886-1900)
Courbet (1819-1877)	Bazille (1841-1870)	Cézanne ((1839-1906)
Manet (1832-1883)	Fantin-Latour (1836-1904)	Gauguin (1848-1903)
		Van Gogh (1853-1890)
		Signac (1863-1935)
		M. Denis (1870-1943)
		P. Sérusier (1863-1927)

XXe siècle

Fauvisme (1905)	Cubisme (1907)	Abstraction (1910)	P. métaphysique (1914)
H. Matisse (1869-1954)	Picasso (1881-1973) Braque (1882-1960)	Kandinsky (1866-1944) P. Klee (1879-1940)	G. de Chirico (1888-1978)

XXe siècle (suite)

Surréalisme (1924)	Expressionnisme Abstrait (1947)	Art contemporain (1950)
Magritte (1898-1967)	Pollock (1912-1956) Wols (1913-1951)	Bacon (1909-1992) Soulages (1919)

Des musées et des chefs-d'œuvre

Sélection de quelques-uns des plus grands chefs-d'œuvre, autres que les œuvres reproduites dans cet ouvrage.

Chefs-d'Œuvre absolus :
Fresques de Giotto : basilique Saint-François d'Assise, chapelle Scrovegni (Padoue), église Santa Croce (Florence).
Fresques de Masaccio : chapelle Brancacci (Florence).
Fresques de Mantegna, *La Chambre des époux*, au château de Mantoue.
Fresques de Piero della Francesca : basilique Saint-François d'Arezzo.
Retable de Roger Van Der Weyden, *Le Jugement dernier* : Hôtel-Dieu à Beaune.
Retable de Van Eyck, *L'Agneau mystique* : cathédrale Saint-Bavon à Gand.

À ne pas manquer dans les musées :
Amsterdam
Rijksmuseum
Hals, *Le Joyeux buveur* – Rembrandt, *La Ronde de nuit* – Vermeer, *La Laitière*, *La Ruelle*.
Bruxelles
Musées Royaux des Beaux-Arts
Bruegel, *Le Dénombrement à Bethléem*, *La Chute des anges* – Rubens, *Le Christ et la femme adultère*.
Florence
Musée des Offices
Hugo van Der Goes, *Le Retable des Portinari* – Uccello, *La Bataille de San Romano* – Léonard de Vinci, *L'Annonciation*, *l'Adoration des mages* – Botticelli, *La Naissance de Vénus* – Raphaël, *Portrait de Léon X* – Titien, *La Vénus d'Urbin* – Caravage, *Le Sacrifice d'Isaac*, *Méduse*, *Bacchus*.
Gand
Musée des Beaux-Arts
Bosch, *Portement de croix*.
La Haye
Mauristhuis
Vermeer, *Jeune fille à la perle*, *Vue de Delft* – Fabritius, *Le Chardonneret* –
Hals, *Le Garçon riant* – Rembrandt, *La Leçon d'anatomie*.
Londres
National Gallery
Peinture italienne
Uccello, *La Bataille de San Romano* – Piero della Francesca, *Le Baptême du Christ* – Léonard de Vinci, *La Vierge au rocher* – Raphaël, *Portrait du pape Jules II* – Titien, *Portrait d'homme*.
Peinture hollandaise
Van Eyck, *Les Époux Arnolfini* – Bosch, *Le Christ aux outrages* – Holbein, *Les Ambassadeurs* – Bruegel, *L'Adoration des mages* – Van Dyck, *Portrait équestre de Charles Ier* – Rembrandt, *Le Festin de Balthazar*.
Peinture anglaise
Constable, *La Charrette de foin* – Turner, *Pluie, vapeur, vitesse*.
Peinture française
Ingres, *Madame Moitessier* – Manet, *Musique au jardin des Tuileries*.
Tate Gallery
Turner, *Hannibal et son armée passant les Alpes*.
Madrid
Musée du Prado
Peinture espagnole
Ribera, *Le Songe de Jacob* – Vélasquez, *Les Buveurs*, *La Reddition de Breda*, *Les Fileuses* – Goya, *Le Parasol*, *Le roi Charles IV et sa famille*, *La Maja vêtue* et *La Maja nue*, *Le 3 mai 1808*, *Les Peintures noires de la maison du sourd*.

langage   histoire

Peinture italienne

A. de Messine, *Le Christ soutenu par un ange* – Titien, *Portrait de Charles V.*

Peinture hollandaise

Roger Van Der Weyden, *La Déposition* – Bosch, *Les Sept Péchés capitaux, Le Jardin des délices, L'Adoration des mages* – Bruegel l'Ancien, *Le Triomphe de la mort* – Dürer, *Adam et Eve.*

Musée Thyssen-Bornemisza

H. Holbein, *Portrait d'Henri VIII d'Angleterre* – Caravage, *Sainte Catherine d'Alexandrie* – Rubens, *Vénus et Cupidon* – Greco, *Annonciation* – Tintoret, *Le Paradis* – Bacon, *Portrait de G. Dyer dans un miroir.*

Munich

Pinacothèque

Bruegel l'Ancien, *Le Pays de Cocagne* – Rubens, *Combat des Amazones* – Titien, *Le Couronnement d'épines.*

Paris

Musée du Louvre

Peinture italienne

Uccello, *La Bataille de San Romano* – Piero della Francesca, *Portrait de Malatesta* – Léonard de Vinci, *La Vierge au rocher* – Raphaël, *Portrait de Baltazar Castiglione* – Titien, *La Mise au tombeau, L'Homme au gant* – Véronèse, *Les Noces de Cana* – Caravage, *La Mort de la Vierge.*

Peinture espagnole

Ribera, *Le Pied-bot* – Murillo, *Le Jeune mendiant.*

Peinture hollandaise

Van Eyck, *La Vierge au chancelier Rolin* – Rembrandt, *Betsabé* – Rubens, *Histoire de Marie de Médicis, La Kermesse, Portrait d'Hélène Fourment* – Van Dyck, *Portrait de Charles Ier d'Angleterre* – Jordaens, *Les Évangélistes.*

Peinture française

Poussin, *Les Quatre Saisons* – G. de La Tour, *Saint Joseph* – David, *Le Sacre* – Gros, *Les Pestiférés de Jaffa, La Bataille d'Eylau* – Géricault, *Le Radeau de la Méduse* – Watteau, *Gilles* – Fragonard, *Le Verrou* – Chardin, *La Raie, La Pourvoyeuse* – Ingres, *Portrait de M. Bertin* – Delacroix, *Les Femmes d'Alger.*

Musée d'Orsay

Manet, *Le Déjeuner sur l'herbe* – Courbet, *L'Enterrement à Ornans* – Millet, *L'Angélus* – Van Gogh, *L'Église d'Auvers.*

Musée Jacquemart-André

Rembrandt, *Les Pèlerins d'Emmaüs* – Fresques de Tiepolo.

Rome

Pinacothèque

Raphaël, *La Transfiguration* – Caravage, *La Mise au tombeau* – Poussin, *Le Martyre de Saint-Érasme.*

Villa Farnèse

Raphaël, *Le Triomphe de Galatée.*

Palais Doria Pamphili

Vélasquez, *Portrait d'Innocent X* – Caravage, *Saint-Jean-Baptiste.*

Musée du Vatican

Michel-Ange, Chapelle Sixtine – Raphaël, « les chambres ».

Vienne

Académie des Beaux-Arts de Vienne

J. Bosch, triptyque *Paradis, Enfer, Jugement dernier* – Roger Van Der Weyden, *Le Christ sur la Croix.*

Musée Albertina

Dürer, série des « Apôtres ».

Musée des Beaux-Arts

Bruegel l'Ancien (15 tableaux) – Caravage, *La Madone du Rosaire* – Giorgione, *Les Trois philosophes* – Vélasquez (portraits d'infantes).

Propos de peintres

Francis Bacon
« *Pour être peintre aujourd'hui, il faut connaître l'histoire de l'art depuis la préhistoire jusqu'à nous. (...) L'art le plus grand renvoie toujours à la condition humaine.* »

Paul Cézanne
« *Dans la peinture, il y a deux choses : l'œil et le cerveau, tous deux doivent s'entraider. (...) Peindre, c'est enregistrer des sensations colorées.* »

Eugène Delacroix
« *Tous les sujets sont bons pour un auteur. Jeune artiste, tu attends un sujet ? Tout est sujet. Le sujet, c'est toi-même : ce sont tes impressions, tes émotions devant la nature. C'est en toi, et non autour de toi qu'il te faut regarder (...) Ce qui fait les hommes de génie, ce ne sont point les idées neuves, c'est cette idée, qui les possède, que ce qui a été dit ne l'a pas encore été assez. (...) L'exécution, dans la peinture, doit toujours tenir de l'improvisation. (...) Je plains les gens qui travaillent tranquillement et froidement. Il faut être hors de soi pour être tout ce qu'on peut être. (...) La touche est un moyen comme un autre de contribuer à rendre la pensée dans la peinture.* »

Maurice Denis
« *Toute œuvre d'art est une transposition, une caricature, l'équivalent passionné d'une sensation reçue.* »

Wassily Kandisky
« *Si l'artiste parvient à n'exprimer, au moyen des rythmes et des valeurs sonores, que des processus intérieurs, des images intérieures, alors l'objet de la peinture cesse d'être la simple reproduction de ce que les yeux perçoivent. (...) La peinture peut déployer les mêmes forces que la musique.* »

René Magritte
« *L'art de peindre, tel que je le conçois, permet de représenter des images poétiques visibles.* »

Henri Matisse
« *Vous voulez faire de la peinture ? Commencez alors par vous couper la langue, car désormais vous ne devez vous exprimer qu'avec vos pinceaux. (...) En art, ce qui importe surtout, ce sont les rapports entre les choses. (...) Quand je vois les fresques de Giotto à Padoue, je ne m'inquiète pas de savoir quelle scène de la vie du Christ j'ai devant les yeux, mais de suite je comprends le sentiment qui s'en dégage, car il est dans les lignes, dans la composition, dans la couleur, et le titre ne fera que confirmer mon impression.* »

Pablo Picasso
« *Si l'on sait exactement ce qu'on va faire, à quoi bon le faire ? (...) S'il y avait une seule vérité, on ne pourrait pas faire cent toiles sur le même thème. (...) Un tableau ne vit que par celui qui le regarde. (...) À bas le style ! Est-ce que Dieu a un style ?*

langage   histoire

Il a fait la guitare, l'arlequin, le basset,
le chat, le hibou, la colombe. Comme moi.
Il a fait ce qui n'existe pas. Moi aussi. »

Nicolas Poussin
« Autant que par la vue, la peinture doit
être appréhendée par la pensée et le peintre
doit donner à lire. (...) La peinture n'est
autre qu'une idée des choses incorporelles. »

Pierre Soulages
« Depuis Lascaux jusqu'à aujourd'hui, la
peinture ne célèbre jamais d'autre énigme
que celle de la visibilité. (...) L'artisan c'est
le contraire de l'artiste. Les artisans savent
très bien l'objet qu'ils vont produire. Ils
appliquent des recettes. Un artiste connaît
un métier mais il va vers quelque chose
qu'il ne connaît pas, il va vers l'inconnu.
(...) Un artiste n'a pas à témoigner de son
époque, il est fait d'elle. (...)
La peinture est une organisation de
formes et de couleurs sur laquelle viennent
se faire et se défaire les sens qu'on lui
prête. Le spectateur en est le libre et
nécessaire interprète. (...) Une couleur
ce n'est pas qu'une couleur, ça a une
dimension, une texture, une lumière. »

Vincent Van Gogh
« Il faut apprendre à lire, comme on doit
apprendre à voir, et apprendre à vivre.
(...) Le devoir du peintre consiste à
s'abîmer complètement dans la nature, à
user de toutes ses facultés intellectuelles et
à traduire tous ses sentiments dans son
œuvre, afin de la mettre à la portée des
autres. (...) Il n'est que trop vrai qu'un tas
de peintres deviennent fous. C'est une vie
qui rend très abstrait. »

Léonard de Vinci
« La peinture est en connexion avec les dix
attributs de la vue, à savoir : obscurité,
clarté, éclat, matière et couleur, forme et
position, éloignement et proximité,
mouvement et repos. (...) Si tu regardes
des murs barbouillés de taches ou faits
d'espèces différentes, et qu'il te faille
imaginer quelque scène, tu y verras des
paysages variés, (...) Tu y découvriras (...)
d'étranges airs de visages (...) et une
infinité de choses que tu pourras ramener
à des formes distinctes et bien conçues. »

Paul Véronèse
« Nous autres peintres, nous prenons les
mêmes libertés que les poètes et les fous. »

Wols
« Pour voir, il ne faut rien savoir, sauf
savoir voir. »

Bibliographie sommaire - documentation

Écrits et propos de peintres :

SYLVESTER (David), *Entretiens avec Francis Bacon*, Skira, 1986.

CEYSSON (Bernard), *Soulages*, coll. « Tout l'art », Flammarion, 1996.

DELACROIX (Eugène), *Journal 1822-1863*, Plon, 1996.

DELACROIX (Eugène), *Écrits sur l'art*, Séguier, 1988.

KANDINSKY (Vassily), *Du spirituel dans l'art*, coll. « Folio essais », 1989.

KLEE (Paul), *Théorie de l'art moderne*, Denoël, 1987.

PENROSE (Roland), *Picasso*, Flammarion, 1996.

MATISSE (Henri), *Écrits et propos sur l'art*, Hermann, 1986.

POUSSIN (Nicolas), *Lettres et propos sur l'art*, Hermann, 1989.

VAN GOGH (Vincent), *Lettres à Théo*, coll. « Les Cahiers rouges », Grasset, 1997.

VASARI (Giorgio), *Les vies des plus excellents peintres*, (Florence, 1568), Berger-Levrault, 1984.

VINCI (Léonard de), *Les Carnets*, Gallimard, 1987.

Historiens de l'art :

ARASSE (Daniel), *Le Détail*, Flammarion, 1992.

BLUNT (Antony), *La Théorie des arts en Italie*, G. Monfort, 1988.

DUBY (Georges), *Le Moyen Âge (1280-1440)*, Skira, 1984.

CHASTEL (André), *L'Art italien*, Flammarion, 1986.

CHASTEL (André), *L'Image dans le miroir*, Gallimard, 1980.

CLAY (Jean), *Le Romantisme*, Hachette, 1985.

CLAY (Jean), *L'Impressionnisme*, Hachette, 1981.

FOCILLON (Henri), *Vie des formes*, PUF, 1988.

FRANCASTEL (Pierre*)*, *Peinture et société*, Denoël, 1984.

FRIEDLÄNDLER (Max), *De Van Eyck à Breughel*, Gérard Monfort, 1985.

HUYGHE (René), *Sens et destin de l'art*, tome 2 (*De l'art gothique au XXe siècle*) Flammarion, 1967.

Picon (Gaëtan), *1863, Naissance de la peinture moderne*, Folio, 1996.

RUDEL (Jean), *La Peinture italienne de la Renaissance*, coll. « Que sais-je ? » PUF, 1996.

SCHAPIRO (Meyer), *Style, artiste, société*, Gallimard, 1990.

VALLIER (Dora), *L'Art abstrait*, Le Livre de poche, 1980.

WÖLFFLIN (Henrich), *Principes fondamentaux de l'histoire de l'art*, G. Monfort, 1986.

Philosophes

HEGEL, *La Peinture* (Esthétique), coll. « Profil », Hatier, 1996.

HUISMAN (Denis), *L'Esthétique*, coll. « Que sais-je ? », PUF, 1988.

LACOSTE (Jean), *La Philosophie de l'art*, coll. « Que sais-je ? », PUF, 1985.

langage   histoire

MERLEAU-PONTY (Maurice), *L'Œil et l'esprit*, coll. « Folio essais », 1985.
MERLEAU-PONTY (Maurice), *Sens et non-sens*, Nagel, 1986.
Picon (Gaëtan), *L'écrivain et son ombre*, coll. « Tel », Gallimard, 1996.

Écrivains

BALZAC (Honoré de), *Le Chef-d'œuvre inconnu*, coll. « Folio classique », 1995.
BAUDELAIRE (Charles), *Écrits esthétiques*, 10/18, 1986.
RILKE (Rainer Maria), *Lettres sur Cézanne*, Seuil, 1991.

Dictionnaires et guides

Petit Larousse de la peinture, Tomes 1 et 2, 1979.
L'Atelier du peintre, dictionnaire des termes techniques, Larousse, 1998.
Dictionnaire de la mythologie grecque et romaine, Larousse, 1965.
Dictionnaire des symboles, coll. « Bouquins », Robert Laffont, 1989.
Guide iconographique, La Bible et les saints, Flammarion, 1990.
Le Manuel de l'artiste, Ray Smith, Bordas, 1989.

Revues

Beaux-Arts Magazine.
Connaissance des Arts.
L'Œil.

Films

Le lecteur ne manquera pas les excellents documentaires de la série *Palette* diffusés régulièrement sur Arte. Les titres de cette collection d'Alain Jaubert sont disponibles en vidéocassettes (Éditions Montparnasse).

Dans la jungle des cédéroms où parfois le pire côtoie le meilleur, il convient de citer quelques titres qui méritent le détour : *Le Louvre, Picasso, Cézanne, Magritte, Orsay, Delacroix et l'Orient...*

Table des illustrations

Index des noms

langage   histoire

Index des noms (suite)

Responsable éditorial
Bernard Garaude

Directeur de collection – Édition
Dominique Auzel

Secrétariat d'édition
Anne Vila – Véronique Sucère

Collaboration
Marie-Sophie de Carrière

Correction – révision
Didier Dalem

Iconographie
Sandrine Batlle

Conception graphique – Couverture
Bruno Douin

Maquette
Didier Gatepaille

Fabrication
Isabelle Gaudon

Flashage
Exegraph

Crédit photo :
Voir table des illustrations p. 62

D. L. : 1er trimestre 2003
Aubin Imprimeur, 86240 Ligugé
Imprimé en France P 64788

Les erreurs ou omissions involontaires qui auraient pu subsister dans cet ouvrage malgré les soins et les contrôles de l'équipe de rédaction ne sauraient engager la responsabilité de l'éditeur.